사과와 오렌지

이 도서의 국립중앙도서관 출판예정도서목록(CIP)은 서지정보유통지원 시스템 홈페이지
(http://seoji.nl.go.kr)와 국가자료종합목록 구축시스템 (http://kolis-net.nl.go.kr)에서
이용하실 수 있습니다.
(CIP제어번호 : CIP2020040331)

사과와 오렌지

2020년 9월 28일 초판 1쇄 인쇄
2020년 10월 8일 초판 1쇄 발행

지은이 | 손현석
펴낸이 | 孫貞順

펴낸곳 | 도서출판 작가
(03756) 서울 서대문구 북아현로6길 50
전화 | 02)365-8111~2 팩스 | 02)365-8110
이메일 | morebook@naver.com
홈페이지 | www.morebook.co.kr
등록번호 | 제13-630호(2000. 2. 9.)

편집 | 손희 박영민 설재원
디자인 | 오경은 박근영
영업 | 손원대
관리 | 이용승

ISBN 979-11-90566-16-2 03810

잘못된 책은 구입하신 서점에서 바꾸어 드립니다.

값 12,000원

사과와 오렌지

손현석 시집

작가

■ 시인의 말

매일 아침 커피
매일 잘게 흡수된다는 생각
어딘가로 퍼져나가는 몸의 최소 단위가
어떤 생명체를 깨우고 있는
매일 아침 떨림

무심코 바다에 길을 내는 일이 잦아
기차를 타고 떠나도 바닥에서 뜬다
뜨는 거품이 시가 되어 날아간다

2020년 9월
손현석

차례

| 2 부 | 色, 感覺

| 3부 | 美, 感性

| 4부 | 藝, 想念

1부

智, 思念

해변의 카페

여기까지 오셨군요
커피를 파도에 타서 마시는
이곳에서는 누구나 특별한 사람인 거죠

파도의 알갱이를 맛보세요
톡톡 터지다 못해 더 이상 터질 수 없는
깊고 세밀한 속맛을 알아채기까지
파도는 제 모습을 드러내지 않죠

먼 기억의 파도는 느릿느릿 걸어오고
가까이서는 작열하는 포말로 활짝 날죠
그 날개의 양 겨드랑이에 손가락이 닿으면

그 촉감, 파도는 바람이구나
커피 향 날리는 촉촉한 바람이었어요
그리고 특별한 당신도 눈물겨운 바람
한 모금 파도가 당신을 마셨네요

먼 훗날

이미 많은 사람들이 내려와
발을 딛고 걸어간 이곳에서는
더 이상 하늘과 땅을 나눌 수 없어
숨소리 한 결조차 추억 속의 추억이다

숱한 갈래로 길 떠난 흔적들이
저 멀리 까마득한 아기의 옹알이로
은하폭풍 가장 안쪽 빈자리에 파고들어
꽃향기처럼 흔들림 없이 떨리고 있으니

사람이 피고 져도 그대로
그 모습 그대로 그윽하다

빛 때문에

가릴 수 있는 눈
가릴 줄 모르는 등짝
가리는 동작은 고작 손바닥을 펴는
손가락 사이가 열리지 않도록
입 딱 다무는 것

살아온 과오를 피할 곳 없는
가리고 싶은 그 하나하나 적나나 모여
오늘날의 부끄러운 세상에
전신 선탠을 한다
할 수 있는 방도는 다 펼쳤으나

그 중의 하나도 가릴 수 없는
빛의 능력을 인정하지
사람 하나에도 작은 능력 하나
사람들이 함께 살아갈 수 있으려면
각자에게 배당된 그 하나를 반짝이게끔

올바르게 닦아내어 반사해 줘야지
그러니 한 개 주고 많이 받는 구조이다

부끄럽게 살고도 너무 많이 받은
이 격한 부끄러움을 피하려
오늘도 눈을 가린다

누구나 많이 받게끔 되어 있는데도
날마다 바지 주머니를 만지며
상습적인 결핍을 앓으니
배당된 하나조차 똑바로 빛내기 어렵고
살아가는 부채負債가 만만치 않다

오직 가릴 줄 모르는 등짝으로
눈을 피해 달아나기만 하는
그런 가련한 당당함이 인생이라면
저 빛을 삼켜 땀구멍으로 줄줄 흐르도록
정화淨化 한번 딱 할 것

바빌론의 강가

따라 부르기 좋았지 그 노래
보니엠이 불렀지 그 노래
여자 셋에 남자 하나 날마다
합이 잘 맞지 않는 춤을 추며
거룩한 시온Zion의 조명을 들고

철모르는 젊음은 고고장에서 몸을 흔든다
밝고 신나는 기분을 마시며 가벼운 스텝
꿈에도 나이를 먹을 줄 모르는 리듬으로
바빌론의 강가에 앉아서 울었다는 노래가
경쾌한 구두에 한 소절씩 밟히고 있었는데

사람들은 우는데 왜 이렇게 경쾌하지?
참 이상하다 의심하면서도 그뿐이었지
강가에 앉아 울고 울며 또 울어야 했지만
즐거운 멜로디에 가려져 우는 줄도 모르고
해 뜨고 달이 걸린 조명 아래 시간은 켜켜이

지금도 따라 부르기 좋지 그 노래
손뼉 치며 흥겹게 보니엠과 함께 강가에서

눈물 흘리며 춤추는 까닭을 생각하고 있네
이만큼 쌓인 시간과 이리도 줄어든 머리칼이
잃어버린 나의 바빌론을 강물에 띄우고 있네

마차푸차레

물고기의 꼬리에는 서 있을 수가 없습니다
옆에 매달리려 해도 비늘이 미끈거리지요
가까이 다가서면 검은 구름이 시야를 가려
한 걸음 먼저 이 세상의 얼굴을 지우네요

땅에 올라온 물고기가 거꾸로 서 있습니다
똑바로 보려면 우리도 거꾸로 서야 합니다
거꾸로 서면 가볍게 발이 하늘에 닿습니다
지금까진 바로 서 있으려 힘들게 살았군요

물고기는 땅으로 꼬리쳐 올라 미동도 없이
인간의 숭배에 못 본 척 고개를 숙이지요
외면하니 더욱 닿고 싶어 갈망하는 인간은
검은 구름에 팔 휘저어 미끈 떨어져 가죠

푸른 하늘은 멀리서만 주어지는 선물
가까이서는 아무 것도 잡히지 않네요

이상한 흐름

작곡가 진은숙의 회고에서 그녀의 스승 리게티는
모차르트의 피아노 협주곡을 듣고 나서
이렇게 탄식했다고 한다
"아아, 나는 아무것도 창조하지 못했어!"
그런데 고전음악과 현대음악이라는 이 정도의 시차는
리게티의 심경을 위로해도 될 만큼 아무것도 아니다
20세기를 대표하는 천재 화가 피카소는
17,000년 전 라스코 동굴 벽화 앞에서 절규했다
"아아, 인류는 아무것도 발전한 것이 없구나!"
라스코의 미적 기술적 완성도는 오늘날에 필적했다
이쯤 되어야 아무것도 아닌 것이 아닌 것이다

그런데 17,000년 전보다 딱 두 배 더 먼 시점인
34,000년 전의 쇼베동굴 벽화를 마주하면
도대체 인간은 누구지?
반문하지 않을 수 없다
피카소가 무릎을 꿇은 라스코 벽화보다
더 놀라운 말과 표범과 코뿔소와 동굴사자들이
굽이진 벽면에 붙어 생생하게 살아서 움직인다
현대는 인간들이 살고 있지만

고대는 신화의 세계라고 했던가?
옛날 사람들이 만들어 놓은 그 무엇을
그 무엇이 어째서 거기 있는지에 대한 비논리를
오늘날 우리는 전혀 못 풀고 있지 않은가?

이상한 계산법

내가 이 세상에 태어나려면
최소한 엄마 여자 한 명과
아빠 남자 한 명이 있어야 하는데
2가 1로 되어버린 셈이다 (1+1=1)

엄마가 이 세상에 태어나려면
최소한 엄마의 엄마 여자 한 명과
엄마의 아빠 남자 한 명이 공급되었겠고
아빠의 탄생에도 같은 원칙이 적용되었지

네 명이 둘을 낳고 둘이 하나를 낳았으니
하나를 위해 여섯이 투여됨 (4+2=1)
엄마의 엄마의 엄마도 있어야 말이 되니까
아빠의 아빠의 아빠도 있어야 말이 되니까

하나의 생명을 얻기 위한 조건은
1대 2명, 2대 4명, 3대 8명, 4대 16명
세월을 거슬러 2의 제곱수로 증가하고 있다
5대 32명, 6대 64명, 7대 128명, 8대 256명

이 땅의 역사가 5천 년 전에 시작되었다면
대를 거슬러 기하급수적으로 늘어나는 인구를
대가 내려와 이 순간 나 하나만 생존해 있는
이 기묘한 셈의 결과는 감쪽같은 모순일까?

이상理想의 패턴

1번 아이는 무조건 1등만을 하고 싶어서 질주한다
2번 아이는 1등 하는 1번에게 마냥 잘 보이고 싶다
3번 아이는 멀찍이 떨어져 수수방관 구경만 하고 있다
4번 아이는 어떻게 하면 1번을 따라잡을지 궁리 중이다
5번 아이는 질주하는 자들의 게임에서 심판이 되려한다
6번 아이는 환호를 지르며 게임을 즐기려는 관람객이다
7번 아이는 차에 타고 앉아 질주하는 자를 한심해 한다
8번 아이는 낙오자에게 채찍을 가하며 질주를 재촉한다
9번 아이는 이 게임의 법칙이 아무래도 마음에 안 든다
10번 아이는 누가 뭘 하든 뭐 그럴 수 있다고 생각한다

애당초 13인의 아이가 질주하고 있었으나
몇 년 후 3인이 사망했다
자살인지 타살인지 의견이 분분했으나
그마저도 세월에 뒤덮여
3인의 이름은 까마득히 잊혀졌다
살아남은 10인의 아이는
자기 캐릭터에 주어진 직분을
열심히 쫓아가고 있다

마음의 넓이

마음은 우주보다 넓다
마음은 무한하고
우주는 유한하다

현대의 과학이 굳이 주장하지 않더라도
우주가 지금도 급속 팽창을 하고 있지 않더라도
우주는 물질세계의 공간이라서
공간 개념을 초월한 마음은 다른 차원에 있다

유한한 우주의 밖에는 무엇이 있을까
밖은 곧 테두리를 가지므로

테두리의 밖을 생각한다
마음의 영역이다
공간의 형태로 그려보면
마음 위에 우주가 조그맣게 놓인다

무한 마음 위에 달걀처럼 떠다니는 유한 우주
눈을 감으면 내 마음의 손바닥에 우주가 있다

폭포수

너는 돌아갈 수 없다
하나
너의 포만감은 비어 있고
둘
동굴 새는 공간 밖으로 날아간다
셋
연어의 꿈만으로는 산란할 수 없는 포말
둘
너와 너는 나란히 걸려있기에 경쟁하는 듯한 환각
하나
큰 소리 쳐도 어차피 안 들리는 너도 역시 돌아갈 수 없다

셋까지 세고 즉흥곡을 연주한다, 다음 순간에만 정해지는 규칙으로
셋 이후는
셀 수도 없고
세어봤자 엇박이다
머리를 바닥에 흩이고 나면
64분 음표의 발산, 어디서 그런 자랑을
여기는 브람스인데 쇼팽을 들어야 하는 빈혈이 뻗친다

끊임없이 떠드는 문제들에는 축적된 해법이 없어서 도돌이표 처리함

다시 셋
귀향을 포기한 채 고래의 뱃속에 둥지를 틀어도 좋다
다시 둘
뒤따라 나온 물뱀도 공간 밖으로 직진한다
다시 하나
너는 추락을 모른다

이진법의 지도

01번 국도를 타고 가다가 여행을 멈추지 않기로 했다
세상의 길들을 연결하자 달려가던 내 몸이 투명해졌다
10번 국도에서는 해가 좌측으로 쉴 새 없이 굴러가고
0001과 0010번은 부력처럼 떠밀린 시간의 교량이었다

국도 1001번이 은박지를 접었다 편 구김살로 바이칼호를 날렵히 돈다
빛이 방사放射되어 튕겨나가는 수면의 검지와 중지가 대기의 굴절을 던지면
순간 가속, 1초의 알갱이가 137억년으로 분사되어 망막의 사다리를 탄다
가장 멀고 가장 가까운 기억을 읽어 미토콘드리아의 흡착판이 꿈틀댄다
숨길을 뚫는 세공의 회로가 열리자 호수는 기울어 일제히 물길을 튼다

한 방울, 한 원자, 한 전자, 한 쿼크가 허파에 들어온다
아무리 작아도 원액으로 언제든 회귀할 수 있는 발재간
퍼진 안개처럼 잡히지 않아도 수묵으로 스민 지도 위에
어슴푸레 길의 출몰이 번지며 눈 비빈 근시로 달려간다

1010번 국도를 연결하면 카스피해를 건너 흑해로 다림질처럼 질주한다
심연이 마모된 어류의 날쌘 혈관과 첫 지층을 파고드는 굉음이 뒤엉키면
반지 문양, 1초에 일곱 바퀴 반을 달려도 손가락에 코일처럼 감기고 마는
가장 작고 가장 거대한 무형의 소용돌이가 무작위로 방류하는 원시 거품
날숨 한 번에 지중해의 입이 터져 푸르게 작열하는 빛을 엄지로 튕긴다

국도는 아틀란티스에서 날개를 업더니 공중으로 비상한다
갈래가 제곱수에 닿아 01010101번 양쪽 극선만 깜박인다
나스카에서의 도움닫기로 대양을 부채살처럼 잘게 접는다
더욱 투명해진 내 몸은 세상의 모든 길처럼 있거나 없다

사는 염치

어머니는 다섯 명의 자식을 어머니 배로 낳지 않았어요
어머니는 다섯 자식에게 어머니 젖을 물렸어요
사내아이 셋과 계집아이 둘이었어요

역삼각형 꼭지점처럼 중력에 못 견디는 유두를 계집아이 하나가 깨물자
나머지 네 아이의 얼굴에 자줏빛 핏줄기가 우유처럼 뿜어졌고
선지처럼 굳어 주머니에 넣고 끼니때마다 꺼내먹었다

어머니, 한 계집아이는 이빨이 안으로 날카롭게 휘어 혀를 뺄 수 없었죠
어머니, 그 아이는 혀가 이빨에 휘감겨 목젖이 뜯기더니 실처럼 말랐어요
땅 속으로 줄기차게 늘어져 들어간 아이는 허기보다 말을 하고 싶어졌죠

나머지 네 아이는 동서남북으로 흩어졌다
북으로 간 다른 계집아이는 오로라를 탈 줄 안다고 했다
6차원의 별에서 내려준 구원의 동아줄이라고 동네방네

떠들고 다녔다

아마도 빨랫감이 밀려서 꽁꽁 언 빗속으로 나갔나 봅니다
무지갯빛 우산을 들고 가슴 포대기로 아이를 안고 가는 여자를 보았대요
말은 그렇게 해요, 겹겹이 옷에 묻은 핏자국을 닦지 못해 소동입니다

사내아이 셋은, 준비된 먹이가 떨어지자 숲으로 들어왔다
사람의 숲은 백열등 사이에 있어 심줄보다 튼실한 유리 밖이 다 훤칠했다
질기게도, 부스러져 뒹구는 콘크리트 조각들로 국을 끓이기 시작했다

우리가 내던져지듯 나아간 그곳에서는, 나무와 불과 바위뿐이었어
나무를 먹고, 불을 먹고, 바위를 먹으려 했으나 소화가 되지 않더군
그제서야 어렴풋이 기억이란 망각이 떠오르며 말랑한 트림이 나오더군

밤새워 끓인 국은 아침이면 빌딩 벽처럼 딱딱해지곤 했습니다
젓가락으로 내리찍어 간신히 몇 모금 빨아먹을 수 있었습니다
정오에 잠이든 사내아이 셋은 탯줄에 엿처럼 매달려 늘어져요

어머니, 다섯 명의 자식을 어머니 배로 낳았다고 쳐 주세요
젖을 물리지 않았습니까?
어머니를 평생 먹어치우고도, 더 요구할 응석이 남아있네요

빌렌도르프의 비너스

키 11.1cm
역 S라인의 출렁이는 허리둘레
머리와 얼굴이 서로 다른 영역임을 새삼 일깨워 준
눈, 코, 입 뭉개진 희대의 미적 밸런스
지나치게 큰 유방과 엉덩이
깊고 넓게 패인 배꼽
불거진 성기

팔은 어디에 붙었는지
발은 어디에 숨었는지
풍요와 다산의 상징이라는 세간의 소문이
그녀의 탄생과 생존을 간단히 단정 짓고 있지만
오스트리아 빈 자연사 박물관의 최고 VIP 자리에 앉아
구석기시대의 유물이라는 속된 호칭을 왕관처럼 받아쓰고
2만 년 훨씬 뒤에 태어난 인간들의 호기심 어린 알현을
휘감겨 털모자처럼 뒤덮인 머리카락 틈새로
오히려 목 붙여 살피는 듯 염탐스럽다

고개를 갸우뚱거리는 요즘 인간들 능력으로는
그녀의 가려진 눈동자의 정체를 찾아낼 수 없다

그녀의 가슴이 왜 남근과 유사한지 우습기만 하고
옆구리로 흘러넘치는 살을 건강미라 여기고 싶지 않다
체중이 실려 안 그런 척 굽어진 무릎이 염려되자
그녀는 분명 바닷가 모래밭에 살았을 거야
인어의 진화를 믿어야 하지 않겠니
갖은 낭설이 물고기처럼 튀고
옅은 웃음소리가 들린다
돌 배꼽이 출렁인다

내가 누구인지
누군가는 알게 될 거라고
알게 되더라도 숭배하지 않도록 벌거벗고 있지 않겠니?
무릎은 꿇지 말고 내 무릎도 더 꿇게 말고 다만
내가 너보다 2만 살 더 많은 것을 기억해
모든 비밀에는 열쇠가 숨겨져 있듯이
모든 열쇠가 비밀을 만들고 있지
2만 년 뒤 너의 얼굴을 생각해

사자인간

사람이 반만 되었으니
사람 취급을 받지 못하고
사람의 집에 결코 들어갈 수 없으니
사람의 마을에 문지기가 되었다

장승처럼 마을 입구에 서 있다
천하대장군이 될 수 없어
지하여장군도 될 수 없어
사람의 코스프레 복장을 푹 뒤집어쓰고

사람처럼 서 있다
사람이 되고 싶은 의도를 감추고자
두 팔 두 다리 몸통은 사람으로 분했으나
숨길 수 없는 표정을 바꾸지 못하여

훗날의 간절한 소망은
얼굴만이라도 사람이 되는 것
그러자 사람의 마을에 사는 실력자들이
돌을 쪼아 사람얼굴로 부활시켜

죽은 사람의 집을 지키게 했다
시간이 지날수록 죽은 사람의 존재감이
백수의 왕이라는 자존감을 짓밟고
몰락한 왕이란 굴욕을 떠받들게만 했다

뿔로 서 있거나
돌로 앉아 있거나
산 자를 피하거나 죽은 자를 등지거나
그저 오만한 사람마을을 쳐다보며

침묵에도 바람은 분다
정지된 눈동자에도 물결이 출렁인다
박제를 기꺼이 원했던
전생 이전 전생의 그 이전 전생의 순간

나를 부르는 내 목소리를 듣는다
사자의 목소리다

12번째 꿈

공기에 문이 있어
들어갈 수도 있어

명왕성을 행성 계보에서 탈락시킨
수상한 결정의 밤은 길었다
나는 밤과 밤이 이어지는 내내
11번 접힌 꿈에 감겨들었다
달의 은밀한 귓속말과
진동을 멈춘 시리우스의 사연이
보이지 않는 별을, 마음을, 시간을, 너를
나타나게도 사라지게도 했다

얇은 창틈으로 율동하는 실크 커튼처럼
물컹이는 꿈과 꿈 사이를 건널 때
어쩌면 차례로 던져질 때,
말 한 마디로 존재의 직위를 해제하고
세상의 질서를 재편할 수 있으려던 능력이
작아지고 또 작아지고 마침내 작아져서
December, 빙하 속 양수 같은 어떤 일렁임과
퇴화된 꼬리의 이유를 더듬는 눈만 남는다면

공기의 문을 열 수 있어
들어가 발 디딜 수 있어

그녀는 바쁘다

간밤에
당신의 꿈과
아르테미스의 꿈이
키스의 혀처럼 둘둘 말려
가슴에 주렁주렁 복숭아가 열렸어요

밤새도록
깊고 묵직한 잠의 부피에 눌렸으나
빠져나갈 수 없는 루시퍼의 야릇한 몸짓 때문에
이곳은 꿈도 아니고 뭣도 아니라는
실감만큼은 확실했기에

서둘러 밖으로 달려 나갑니다
당신이 일주일에 5.5일을 전격 헌납하는 일터로
남들도 흔히 그러하듯 당신의 창가를 서성거렸죠
그곳 건물 외벽에 복숭아가 주렁주렁 열리더군요
아르테미스의 가슴이 터질 듯이 익더군요

나의 잠이 말끔히 물러나 있는 주말이면
당신의 피로는 고대의 무너진 성벽처럼 쏟아져

당신도 결코 빠져나올 수 없는 루시퍼를 만납니다
눈이 스쳐 살짝 걸리면 한 발짝도 떨칠 수 없는
저절로 자라난 느긋한 유혹의 율동에 취해서

그러므로 당신은
365일 내내 바쁩니다
온 세상의 그녀들이 살아가는 방법일까요
기다리던 정기휴가에는 해외여행을 떠나야 합니다
비행기 뜨는 활주로에 굉음이 사라질 때까지

가방에서 꺼낸 복숭아 껍질을 벗깁니다
손끝으로 숨을 참고 끌러 내립니다
마지막 한 꺼풀 남겨 두었을 때
짓무른 속살에 손이 흠뻑 젖어
한 입도 베어 물지 못합니다

오늘밤에도 숨 막혀 깨어나 사랑한다 외칠 겁니다

정오의 방랑자

배회하는 자의 티셔츠는 낭만적이다
바지 상단을 약간 삐져나온 오전의 불균형에
기울어진 다리를 눈치 챈 태양이 그림자를 지운다
도시의 광장에는 현관문이 뜯겨나간 선술집이 펄럭이고
위스키 한 잔에 검은콩 한 알, 서양남자와 손깍지 끼는
낯익은 이웃 여자의 개화한 입술 속 반사된 태양빛을
덜그럭거리는 턱짓으로 테이블 구석에 밀어둬야지

건너편 TV에서는 빙하가 다 녹아떨어지는 장면이 투사되어
티셔츠의 구김이 낭만의 시각화를 구현하는데 일조하고
오달리스크를 뒤쫓는 어지러운 손에도 격조가 있다
머리 꼭대기에 이글거리는 태양은 자존심이 강해
영화관에 가기로 했지만 방랑도 혼자는 외롭지
그래서 낡은 공중전화 박스에서 너를 찾았지
노란색 스카프를 두른 목소리가 들려왔다

사랑하기 때문에 어제는 천근만근 몸이 무거웠어요
건물이 무너져 어깨에 내려앉는 것 같았죠
실제로는 무슨 일이 있었냐고요?

너를 못 봤을 뿐이라니까!

132년 전의 카페에서
위스키를 마시던 여인의 전보를 받았다
제 사연이 엉뚱한 곳에 가더라도 읽어 주세요
타성에 젖은 사랑으로 긴 세월을 보내고 한잔 마셔요

132년 전의 카페

프랑스 아를의 포룸광장에서
밤의 카페 테라스 진노랑 가스등에 한껏 취한
짙푸른 어둠 속의 별들이 제풀에 시력을 잃어
한 영혼이 날아가는 과정을 목격하지 못했다
132년 전 위스키를 마시던 여인의 전보가
낡은 돌길을 걸어 소식을 전하러 간다

그녀는 여린 손가락으로 사연을 띄웠다
시대를 휩쓴 혁명이나 전쟁처럼 강렬한 펜이 없어서
사진, 자동차, 전자기학 같은 멋진 자랑도 아니어서
바라보며 스쳐지나간 마음 하나에도 망설이던
노란집의 지붕을 열고 밤하늘의 별을 따던
한 영혼의 날개를 살짝 만지는 몸짓일 뿐

원형 경기장에서는 날마다 함성인데
그는 홀로 천상의 색감을 얻고자 했어요
인간의 열정이 무서워 들판에 자주 나갔지요
안경을 쓰지 않은 별들은 그때도 그를 볼 수 없었죠
일방적으로 바라보는 대상은 불안정이 특징입니다
밀밭에 까마귀가 날고 나무가 불처럼 타올라요

초점을 맞추려 눈을 반쯤 뜬 별들은 이제야
여인이 남긴 위스키의 눈물 맛을 본다
그리고 옆자리 별로 다가와 앉은
알퐁스 도데, 조르주 비제
이런 이름의 숨은 사연을 속닥거린다
한 걸음 떨어진 반 고흐의 별에 전보가 막 도착했다

132년 전에 홀로 위스키를 마시던 여인은
카페 테라스 돌길에 미소를 흘리며 나를 스쳐간다

레 베스노 마을

프랑스의 남쪽 땅
반 고흐의 마을만은 오만하지 않았다

그렇기에
사람의 집들은 먼 산자락 아래 물러나 서서
신의 손길을 경배하고 있다
아주 작은 생명들이
자글자글 모습을 감춘
가까이엔 초목이 무성하고
아담한 개울물에 허리 숙여 목을 축이는
부지런한 당신의 뒷모습을 그려본다
꿈에서 몇 차례 만났던 것처럼
발가락 디뎌 서지 않아도
목을 들지 않아도
한 눈에 품는
사람 세상

풀을 뜯어먹어도 개운할 것 같은
마을 입구에 누워
하늘 뒤편 숨은 별의 손을 잡는다

사이프러스

바람이 머리카락을 서쪽으로 날렸다
온 몸의 잔털이 서쪽으로 기울어졌다
땅에 박힌 발을 빼어 여행을 결심했다

해 지기 전에 서쪽으로 방향을 잡았다
물을 건너다 해류에 밀리니 상하이였다
거기서부터는 직진으로 걸어가야만 했다

쓰촨을 지나 티베트 자치구에 들어섰다
그곳에서도 서쪽으로 바람이 불었다
기울어지면 기울어진 대로 살았다

인도 북부를 지나 파키스탄에서
눈을 들어 바람의 색깔을 살펴본다
하늘에 파묻힌 파란 바람이 일렁거린다

아프가니스탄, 투르크메니스탄, 타지키스탄,
키르기스스탄, 우즈베키스탄, 카자흐스탄,
그곳 사람들의 기억 속을 들여다보면서

서쪽 바람이 그치질 않아 계속 떠밀려간다
이란, 이라크, 요르단의 3천 년 전 잔해와
이스라엘 예루살렘의 2천 년 전 핍박으로

코란 읊는 황금사원과 유대인 통곡의 벽
사이에서 불현듯 서쪽 바람이 멈추고 있다
지중해로부터 동쪽 바람이 날아와 부딪혔다

짙푸른 머릿결로 아름다운 자태를 곧추세우고
바람 한 점 없는 고요 속에 뿌리를 내려 본다
옥 장식 같은 잎사귀에 마침내 별빛이 돋는다

그러자 지성소에서 수천 년 웅크린 영혼들이
이빨 다 빠진 입을 쩍쩍 벌리며 뛰쳐나온다
새싹처럼 돋아난 별에 붙어 눈알을 굴린다

멀리서 보면 불타는 매력의 사이프러스
손바닥 실핏줄 속에는 말 못할 사연이 있다

2부

色, 感覺

노란 산책

은행잎들이 제각기 편한 자세로
땅바닥에 누워 있는 강가의 아침
강가의 공원, 강가의 노란 산책길에서
마지막 새벽별이 힘겹게 바라고 있는
오랜 그리움이 늦가을 비에 잠을 깬다

상심을 쓸어내린 그때 그 편지는
꽃으로 안겨 어린왕자와 나란히 걸었던
책갈피에서 꺼낸 쫑긋한 이야기처럼
온 촉각에 차마 손닿지 못했던 떨림과
놀라고 예민하고 쓸쓸했던 나날들

은행잎에 빗방울이 몸을 부비는 소리
동그랗게 입 모으고 지켜보는 나무와
우산에 구르는 간절한 몸짓과
이 모든 끌림에 열리는 감각
갑자기 향긋한 귀에 속삭이며 와 닿는

마음의 말을 듣는다
가슴 속 아주 익숙한 길에서 빠져나와

오랜 길잡이처럼 눈을 멀게 만드는
당신의 목소리를 듣는다
노란 침묵을 톡톡 건드는 비처럼

깨어나는 모든 생명이 내게로 파고든다

개념이 있다

나는 날마다 새벽 두시 반에 잠을 깬다
누군가도 어딘가에서
그 시각 잠에서 깨어나고 있다

잠 깨려는 꿈속에서 여행 가방이 날아다닌다
꿈밖으로 나가야만 하는 대기표를 들고서
누군가 손 흔드는 잔상이 맺히는데

따로 줄 서서 기다리는 지상의 타임라인에서
눈 커진 새벽 두시 반의 동일선상 저쪽에서
나를 감지하는 누군가의 반응 때문에

뒤척이는 어둠의 차가워진 벽에 등을 기댄다
까닭 없이 흐르는 눈물에도 개념이 있다
멈추려 애쓰는 숨소리가 새어나가면

누군가 어딘가에서
여행 가방이 날아다닌 꿈을 뒤로 끌다 멈추어
내가 깨어난 두시 반 그 의자에 앉는다

없던 것처럼

변함없이 반복되는 날들을 알아
그래서 왜 있잖아
자동차 길에서 달리는 전차를 타고 싶었어
아스팔트 도로에 심어져 있는 철로
이국적이잖아
죽고 싶잖아
이토록 너를 사랑하지 않아도 되잖아
그때 멀리서 바라보았던 고딕 교회 첨탑으로
철길이 나 있으면 좋겠어
굽이져도 좋고 숨이 차도 좋아
비둘기가 날아오지 않아도 너의 눈빛이 좋아
그 덕분에 살아갈 힘이 빠져
변함없이 반복되는 날들을 흠뻑 마시고
똑같은 너에게 지치도록 취하고
그리고 죽고 싶었어
너는 왜 첨탑에서 갑자기 날개를 달았니?
아니 날개를 펼쳤니?
이국적이던
아니 이질적이던
내가 식탁 앞에 없던 것처럼

사과를 깎던 손가락을 깨물었잖아
체크무늬 치마를 입은 여자의 무릎도 깨물고
말을 해봐 속마음을
발뒤꿈치에 바로 붙은 새하얀 절벽
애절한 파도가 수십 개의 팔을 뻗어온다
너의 혀뿌리에도
무감각한 언어의 물기둥이 휘감긴다
증기 기관차 같은 유리창 풍경에
너의 여자들은 하나같이 음흉한 미소야
아스팔트를 훑고 달리던 철로가 바다에 잠기네
문어의 발가락에 포위되는
이국적인 전차에서
너의 마지막 눈빛을 볼게
이렇게도 너를 사랑하지 않도록
내가 없던 것처럼
너를 끝없이 반복하고 싶은 내가
기포조차 없던 것처럼
두고 간 바다 속을 헤매는 비둘기처럼…

2층 계단

2층으로 올라가는 계단이 있었지
삐걱하는 쪽문 미닫이를
두 손으로 두세 번 당겨 몸을 비집으면
덜컥덜컥 마지못해 도르래 발이
절름대며 떼어주던 틈새로
쏙 빠져나가 곧장 타고 올랐던 계단

좁은 암벽처럼 가파르게 솟아 있어
올라가다 중간에서 숨쉬기를 반복하고
거미다리로 붙어 앉아 빵을 먹기도 하고
흑갈색 나무판을 성기게 못질하여
이따금 위태롭던 세상의 계단
미세하게 건열된 판 안쪽 어둠이 궁금하여
딱 붙어 실눈 힘주어 개미구멍 찾던 곳
구깃구깃 웅크려 하모니카 부는 곳
고개를 한껏 젖혀 내미는 날숨에
달빛 고요 감아 입은 파도 물보라
저 멀리로 머금고 내달리는 멜로디

저 아래 마룻바닥과 바닥 옆 부엌과

부엌 옆 수채 구멍으로 마구잡이 흡입하는
이 세상의 시간은 능력자
에덴의 뱀조차 동경하는 능력자
휘감기는 시간은 노래를 부를 줄도 안다
종종 밤이 들락날락하는 그 입술을 내밀어
2층으로 난 계단들을 모아물고 휘파람 불면
그리운 이들은 휙휙 지나쳐 가버리고
모르는 사람들만 줄지어 오네
귀에는 지치도록 뒤덮이는 고음역대의 낙진
주술처럼 깨어나는 망각이 생동하네

문서 파일 같은 2층 계단
누가 삭제했을까 휴지통으로
뒤져보면 머리 꼭대기에 창이 뚫려 있었지
맨 위 계단에 매달렸던 팔 다리는 하얗지
맨 위 계단은 빛의 요란한 페스티벌
입성이 허락되지 않는 중세 같은 고집이어라
결코 그 너머로 간 적이 없다는 믿음 탓에
허구와 망상을 밑천으로 삼는 그 기도 탓에
구간 반복 옵션이 걸린 재생 목록처럼

하얗게 떨어지기를 수차례
실은 태초로부터 지금까지

2층으로 올라가는 계단이 있었지
놀이터가 따로 없이 쿵쾅거리며 하루 종일
어머니는 시끄럽다 소리소리 내셨지
놀다 지쳐 난간에서 배가 고프면
어머니는 빵을 주시며 먹고 놀라 하셨지
계단 위 2층 쪽창으로는 하늘빛이 눈부셨지

푸른 풍차

돌고 도는 물길
반복을 잊고 또 잊은
오고 가고 또 오고 가면서
가면 또 오고 오면 또 가야 하는
그 자리에 늘 있었고 또 있어 왔다던
있는 건지 아닌지 가고 나면 의심스럽네

이미 꾸어진 꿈의 재생 버튼이 작동하였다
누군가 미리 꾸어버린 꿈이라 생각 못했다

그 물길 속 선회하는 하나
회전 반복하는 생명 우주의 시스템 속에서
너무 많은 나이테가 돌고 또 돌아가는
그 하나 붙들고 내 것인 마냥
너무 진하게 감각하는
저 싱싱한 날개

바람개비 같아서
보자마자 동심에 사로잡히네
보자마자 살아온 세월이 빙글빙글 사라지네

청력 테스트

빨간 옷을 입고 나타난 고양이는 두 발 들고 서 있었다
파란 옷을 입고 나타난 앵무새는 두 입 닫고 서 있었다
노란 옷을 입고 나타난 돌고래는 두 손 잡고 서 있었다

엉성한 남사와 가련한 여자가 휘 목소리를 내려고 한다
엉성한 남자는 가발을 벗고 지하 계단에 웅크려 숙인다
가련한 여자는 피부를 찢고 옥상 사다리에 달려 오른다

빼곡한 회색 비가 철사처럼 일어나 도시를 뚜벅 걷는다
아파트 벽면에 붙어 가쁜 숨 몰아쉬는 흙먼지도 일어나
푸들 목에 달랑거리는 에르메스 켈리백 속 지퍼를 연다

파리는 에펠탑에 앉아 매미처럼 혓바닥 떨며 비에 젖네
환생한 그레이스는 도그빌에 갇혀 연인 입에 총을 쑤셔
현란한 탬버린 색소폰 날리는 북극에서 백야 쇼가 터짐

고양이는 빨간 소리가 안 들려 차이코프스키를 못 듣고
앵무새는 파란 소리가 안 들려 라흐마니노프를 못 들어
돌고래는 노란 소리가 안 들려 쇼스타코비치를 못 듣지

빰 맞던 엉성한 남자는 땅 속 검은 소리에 매혹된 거야
집 나간 가련한 여자는 머리 위 푸른 소리 황홀한 거야
북풍이 달려와 핏빛 눈서리 유리창을 깨는 시절인 게야

네오 야수파 그림

빨간 숲에 빨간 꽃 빨간색 토끼
빨간 귀를 쫑긋쫑긋 양떼를 모네

푸른 나무 푸른 비파 푸른색 양떼
푸른 구름 쫓아가며 참새를 업네

노란 들녘 노란 참새 노란 전봇대
노란 발목 옹기종기 줄타기 도네

토끼는 꽃을 먹고 양떼는 비파를 먹고
참새는 전깃줄에 매달린 연어를 먹네

분홍 물에 분홍 돛배 분홍색 연어
분홍 비늘 너울너울 산란 춤 타네

우리 아가 웃음 꽃 연두 방울꽃
엄마 떠난 바구니에 연두 눈물 꽃

백색광이 작열하는 거울 벽면에
빨주노초 파남보 무지개 사연

고향으로 못 가니 병원에서 태어났지 당연히
서기 2019년의 인공조명이 쏟아졌지 당연히
짙은 초록이 지천에 뒤덮인 새벽 수증기 위에
홀로 금빛 찬란한 피부를 펼쳐 누웠지 당연히

이제 생의 반려자였던 고양이가 환생하여
색동 꼬리를 얼굴에 툭툭 떨어뜨린다
앞서 간 빨간 토끼가 뒤돌아본다

빨간 토끼

멜로가 체질
멜로에 흔들흔들 처음 내리는 기차역
시골 간이역 같은 아파트 단지 속
사람 손으로 만발하게 가꾸어진 꽃밭에
꽃잎 하나하나에
샴푸를 바르고 36층으로 올라간 여자
샴푸향이 베이지색으로 날아다녀
꽃을 꺾어 같은 색깔 목도리에 심는다
휘파람을 불고
핸드폰을 꺼내 문자를 날리고
여자가 내려와 주길 기다린 적 없지만
창문은 혹시 열지 않을까
옆구리에 낀 만화책
끊지 못한 순정만화
멜로가 체질
현실적으로는 아파트 창문 밖에서
토끼처럼 어디로 튈지 모르는
얼굴에 모세혈관이 터져 빨갛게 번지는
걷다가 보면 항상 이렇게
36층을 바라보지만

창문을 열고 깡충 뛰어내리는 빨간 토끼
얼굴에 달라붙고 또 붙고 또 붙어
혈관 터뜨리는 빨간 토끼
여자가 내던진 빨간 토끼
꽃밭에 들어가 길을 잃어도
꽃잎 따다 귀에 걸고 휘파람에 설레며
악화된 흐름에서도 심각하지 않으려는
어느 때나 멜로가 체질
샴푸를 베이지색 목도리에 닦는
닦아서 목에 몇 바퀴 감는
감아서 코를 파묻는
흔들리는 꽃들 사이로
로맨티스트의 눈길이 다리 풀린 곳에
눈이 내리네
빨간 눈이 내리네
빨간 토끼의 귀속으로
여자의 빨간 손톱이 깊숙이…

빨간 뱀

집 앞에 찾아오는 남자는
무조건 싫어
밤새 얼어 죽더라도
아무 상관없어
보던 드라마는 마저 봐야 해

남자들은 때로
죽음을 자초하지
죽는 줄 모르고 덤비지
날름거리는 내 혀에 정신을 잃지
빨간 립스틱에 눈알이 빠지지

목구멍까지 빨갛게
죽은 남자들을 핥아서
집 앞에 폐가구처럼 쌓아두었어
경비를 보던 뱀들이 우글우글 몰려왔어
늦가을 가로수 홍엽은 말이 없지

설령 마음 한번 주었더라도
다시 찾아오면 물어서 피를 바꿀 거야

빨갛게 더욱 빨갛게
취향에 맞게
맛있게…

일요일 오후

범어사梵魚寺 청련암青蓮庵에 갔었네
굽이도는 산길의 숲 그늘에
단풍의 깊은 품에
인연 따라 짝을 맺어 미소 짓는 사람들
인연 따라 짝을 잃어 눈물 마른 사람들
누구든 발소리 고요한 낙엽으로
먼 하늘 생각에 잠기는
지장도량이네

돌아보면 일상의 분주함은 끊이질 않았네
삶을 지탱하려 간밤의 꿈은 몇 차례나 깨고
뜬눈으로 쉴 틈 없는 업무와 업무 사이
아주 짧은 일요일 오후
아주 짧은 푸른 하늘
누군가 이끄는 세상 저편의 속삭임에
그윽한 불상들이 배웅하는 한 영혼이 있고
그저 삼배를 숙일 뿐이네

행여 입술에 새어나오지 않도록
감은 두 눈에 맺히지 않도록

바라밀

지산리 하산길에서 암소를 보네
처음에 이 암소는 볍씨만큼 작았다네
배고픈 암소는 울며 먹을 것을 구했고
나그네는 봇짐을 풀어 밥 한 톨 먹였다네

비로암으로 하산하는 급경사를 피해
이쪽으로 발길을 돌린 인연이라지
또 다른 나그네도 밥 한 순갈 먹이자
수박만큼 자란 암소는 엎드려 절을 했다네

동녘 구름이 서쪽 노을 품으로 수줍게 안겨
영축능선 허리를 휘감아 별빛에 잠이 드네
잠 없는 암소는 흙을 먹고 돌도 잘 먹어
어느새 능선에 포개어 덮을 만큼 자라나

쥐바위, 병풍바위, 어여쁜 암릉길도 낳고
함박등에 다리 뻗어 지산리 향해 모로 누워
어린 억새길 실눈으로 살살 어루만지다가
사람의 집에 몽실한 밥 내음을 흐뭇해하네

천개의 손과 천개의 눈으로
너와 더불어 기꺼이 즐거우리니

영축산 한 품에 두른 투명 암소를 보네
통도사의 신묘한 아녹다라삼먁삼보리 하늘로
나그네는 봇짐 풀어 마음의 눈 터뜨리고
무경계 피리 소리 암소 등짝에 구르고 있네

사과와 오렌지

반야암 계곡물에 과일 씻는 동자승
왼손에 사과 오른손엔 오렌지를 들고
저 멀리 흔들다리 맑은 손님 반긴다

그 모습에 이끌려 다가온 초심 행자
예사로이 건네받은 사과 한 입 무는데
시큼한 오렌지 과즙 입 안 가득 퍼진다

이것은 사과인가 오렌지인가?
사과와 오렌지는 같은가 다른가?

동자승은 오른손 내밀어 사과를 흔든다
의아한 행자는 동자승 얼굴 아래 겹친
눈빛 푸른 청년과 노인을 동시에 만나

찰나의 영겁이 계곡물 소리에 흐르고
손 씻는 동자승이 빈 손 들며 웃는다
입 안 향은 온데 간데 무명이 날아간다

모범학교

그곳에서는 쓰고 있던 연필을 들어
이것이 무엇이냐고 물었다
그곳에서는 쓰고 있는 볼펜을 들어
무엇으로 보이냐고 묻는다

이것이 무엇이냐
무엇으로 보이느냐
어딘가에 살다가 입학한 사람들은 대답한다
연필은 연필이고 볼펜은 볼펜이다

너는 너, 나는 나
옆에 있는 섬은 일본, 반대편은 아르헨티나
생각의 도약을 꿈꿀 필요가 없지
그것들이 꼭 무엇이어야 할 필요도 없지

그러나 학생이 꾼다고 말하는 꿈은
학생이 꾸고 있는 실제 꿈이 아니다
방금 불러준 노래는 부른 노래가 아니다
방금 불러준 이름도 부른 이름이 아니다

지하철 문이 열리자 툭 치고 지나간 사람은
파도치는 해안가에 엎어져 우는 아기는
굳이 아파하며 돌아다보지 않아도
결코 다시 꾸어질 꿈이 아니고

잠시 머무르는 그곳이고
눈에 보이는 것뿐인 그곳인데
연필을 들어도 볼펜을 들어도 너와 나는
방금 구워낸 빵에게 새 빵이 아니라 우긴다면

굶주린 자는 새롭게 삶을 바라보지 못하겠지
그곳에서는 먹고 있던 빵도 들어 보일 수 있지
이것이 과연 빵으로 보이냐고 물을 수도 있지
보이지 않는다고 말하면 비밀 폭로인 것인가?

졸업 조건이 없는데도 졸업하기 힘든 학교
입학하면 필기구가 무한정 제공되는 학교

명상 연구

명상은 분해야
분해라는 명상이야
내가 하는 말이 아니야
권위 있는 자의 말이니 받아들여

우린 때로 권위 있는 자의 말을 뚝 떼어와
그 말의 힘에 업혀 연구의 허세를 소유하지

하지만 단편적인 경구에 이끌리는 명상은
명상의 노른자위에 닿을 수 없는 껍질이야
이 껍질을 만지며 이 시간 이후
환상부터 깨도록 하자

보이지 않으므로 아무렇게나 떠드는
죄 값을 치르라는 협박은 이제 그만

당신이 나를 언제 얼마나 사랑하였는지
내가 알아들을 수 없는 말로 주입하시면
삶에는 환상만이 날뛰게 되거든요
기다려도 오지 않을 당신인 걸요

갓난아기가 유모차를 끌고 간다
젖병을 물고 잠에 취한 엄마도 있다

전체를 하나로 보려면 머리가 꽉 차서
머리 범위 밖으로 빠져나간 하나는
둘로 보이기도 셋으로 보이기도
벌집처럼 숭숭하기도

그러니 명상이 분해가 맞지 않다면
분열로 빠지는 건 간단한 치환 방정식

없는 손이 다가와 굳은 등을 쓸어주고
없는 얼굴이 나타나 눈웃음을 날려주고
없는 포옹, 없는 입맞춤, 없는 잔소리
이 모든 재료는 분해라는 명상이야

기억의 축적

그해 여름은 유난히 더웠다
더위 가운데 있었던 그해 8월에는
이 더위가 도대체 물러갈 것 같지가 않았다
그런 불타는 기승이었기에 그 旺함이 衰할까 싶었다
그러나 9월에 접어들자 믿기지 않을 정도로 기온이 내려간다

기온이 내려가 뜨거웠던 머리도 식고 몸이 한결 편해지자
그토록 힘겨웠던 더위가 언제 그랬나 싶게 멀어지고
뜨겁던 여름은 실감이 아닌 기억으로만 남아
하나의 데이터로서 경험에 저장된다
마치 CF카드 저장 매체처럼
공유하는 웹하드처럼

훗날 기억을 떠올리면 그것은 인생의 순서와 무관하게
툭툭 산발적으로 캄캄한 어디선가 튀어나올 것이다
기억은 시간을 따라 샌드위치처럼 쌓이지 않으며
그러므로 사람의 살아온 날들도 쌓이지 않았다
기억하는 과거를 증거로 삶을 확신하는 것이
얼마나 간편한 오류의 사고방식인지 안다

현재는 살아온 날의 결과물이 아니라
생각이 빚어내는 그림 한 점이다

시時를 바꾸라고

10년 전에 신촌에서 만났던 도사 아저씨를 다시 만났다. 10년이 지났으니 그때 하셨던 말씀이 검증될 수 있겠죠. 검증을 해 보겠습니다, 도사님 말씀이 맞았는지 틀렸는지에 대해서요. 근데 10년 세월이 지나니까 그때 무슨 말씀을 하셨는지 기억이 잘 안 나요. 어찌 이리 아무 기억이 안 나는지 답답하네요. 그러니 지금 저의 사주를 다시 보며 다가올 미래를 얘기한다 해도 그때 가면 같은 결과겠죠? 10년 지나면 어차피 제 기억 속에서는 아주 희미한 한 가닥 정도조차도 남아 있지 않을 테니까요. 그러니 아무 염려 마시고 제 사주에 대해 그냥 떠오르는 대로 대놓고 함부로 말씀하세요. 항상 그래 오셨잖아요. 정말 괜찮습니다, 혹시 10년 전에 하셨던 말씀이 기억나시나요? 기억 안 나시죠? 무책임하다고 탓하지 않을게요. 정말 아련하다 못해 고전영화를 본 것 같다니까요. 그리 말하는 동안 내 사주를 뚫어지게 쳐다보고 있던 도사께서 전문지식으로 이런 말씀을 늘어놓는다. 당신의 일간日干 계수癸水가 여름에 나서 약한데다 시주時柱가 불덩어리니 파격破格 사주요! 다음 대운大運에 자수子水가 와서 월지月枝 오화午火를 치게 되면 호흡기 질환으로 어찌 더 살 수 있겠나? 천간天干 구성으로 보면 종교성이 강한데, 기존 종교를 믿지 않고 새로 만들 사람이네. 흠흠. 아, 네, 그렇군요. 말씀 감사합니다. 앞으로 또다시 10년 지나서도 이 말씀을 기억하고 싶어서 그대로 적어두겠습니다. 사실 방금 스마트폰에 녹음해 두었어요. 해석이 너무 마음에 드네요. 파격 사주로도 이 만큼 하루 세 끼 굶지 않고 살아가고 있음에 깊이 감사를 드리고요. 10년 뒤에 호흡기 질환으로 세상을 하직한 뒤 영험한 존재로 부활해서는 신흥 종교의 교주로서 세상의 빛과 소금이 된다니 이 얼마나 짜릿한 팔자인가요? 이 모든 것을 예정하신 절대자께 감사감사! 그리고 말씀 새겨서 한 번 더 생각해 보니 부활도 겪게 되는 거네요. 엄청 기대가 됩니다. 그러자 잠시 후 도사님께서는 핵심 말씀을 다 하셨음에도 고개를 몇 번 갸우뚱거리신다. 근데 말이지, 아무래도 태어난 시時가 틀린 것 같아. 시時를 잘못 알고 있는 거 아냐? 지금 사는 꼴을 보면 타고난 대로 사는 게 아니야. 그러니 틀림없이 태어난 시時가 틀려. 확실해, 이렇게 살아갈 리가 없거든. 그리 단정하시며 지금이라도 태어난 시時를 바꾸라고 마치 화가 난 것처럼 강력하게 주장에 주장을 거듭한다. 아니 그게 바뀌지는 것이로구나. 처음 알았네. 좋은 걸로 갈아 낄 수 있다는 것을 여태 몰랐네. 그래서 즉시 갈아치웠다. 태어난 시간을 바꾸어 지금 내가 사는 꼴에 아주 걸맞게 바꿔주신 새로운 시時를 받들었다. 평범한 미래가 보장된 그 값은 복채 말고 따로 10만원이었다. 신흥종교 교주가 되는 전망이 사라지고, 영생과 부활도 포기한 셈이 되었다. 단돈 10만원에 그저 그런 샐러리맨의 미래를 사 들고 거리로 나섰다.

꿈꾸는 자장가

할머니는 태어난 지 3년 차 되는 손자아이를 무릎에 누이고는
잠을 재우려 알고 계신 얘기 중 가장 재미없는 것 하나를 꺼냈다
토닥토닥, 이 세상의 손맛 저편의 눈물겨운 정겨움이 뭉클하다

아가야, 내 얘기를 들어봐
인간은 Human, 동물은 Animal이라 부르잖니
그런데 말이지, Human은 본래 형체 없이 존재하는 생명체란다
형체가 없다는 것, 즉 몸이 없이 존재한다는 것은
시간과 공간의 테두리를 벗어나 살아있다는 뜻이야
Human이 지구라는 시공간에 내려온 사건은 대략 4만 년 전인데
왜 그랬냐 하면, Human의 자아 인식이라는 나르시시즘적 욕망이
지구의 자기장으로 생긴 독특한 물질 흡입력에 이끌린 탓이었어
아이는 졸린 눈으로 누워 할머니를 쳐다본다

아가야, 재미없어도 계속 들어봐

우리가 살고 있는 이 지구는 스스로 숨 쉬는 큰 물질생명체란다

숨을 한번 내쉴 때마다 자잘하게 물질생명의 종들이 피어나고

들이쉴 때마다 한 무더기씩 사라지는 것이야

4만 년 전 어느 날, Human이 지구를 둘러싸고 일시에 스며들자

지구라는 땅에게 생명을 받아 태어난 동물들은 모두 두려워했고

더욱 두려웠던 식물들은 제자리에 다리를 꽂은 채 덜덜 떨었지

그런데 있잖니, 그때 지구가 만든 오직 한 종의 생명체만이

고개를 갸웃거리면서 갑자기 쏟아져 들어온 Human의 기운을

온 몸으로 수용했는데, 아주 드물게 기이한 현상이었단다

아이의 눈이 초롱초롱 빛나기 시작했다

아가야, 조금 더 들으면 절로 잠이 들 거야

Human을 수용한 그 생명체의 이름은 '인간'이란다

아마도 물질생명체의 진화 과정에서 수용력이 생겨난 것 같아

Human은 이미 모든 물질계가 자신을 거부할 것이라고

체념해 있었지만, '인간'에게서만이 일말의 정착 가능성을

섬광처럼 발견하고는 지구의 흡입기능을 과감히 이용한 거지

초기 거부 반응이 분명 있을 테지만 일정 적응 기간을 겪으면서

'인간'이란 물질생명은 Human으로 서서히 변모될 예정이었단다

이것이 바로 Animal인 '인간'에게 Human이 강림한 기적이지

지구에서 유일하게 Human을 전면 거부하지 않은 '인간'이란

별종 생명체가 준비되어 있었기에, 바로 지금 네가 있는 거야!

아이는 이미 잠을 다 깨어 다음 이야기를 계속 재촉했다

그런데 아가야, Human이 예상했던 것보다 '인간'의 흡수력이

약했고 빠르지 못해서, 아직도 Human 완전 침투가 덜 되었구나

요즘 시대까지도 Animal과 함께 둘이 뒤엉켜 섞여서 살고 있어

Animal 성분이 더 많거나 아니면 Human 성분이 더 많거나 그래

부처님을 비롯한 소위 성인이란 분들은 Human의 정수라 보여

Human 침투 비율이 90% 이상이라고 판단하면 되지 않겠니

Animal 성분이 거의 제거된 순수 Human의 구현인 것이야

보통 '인간'들은 Human의 비중이 절반에서 왔다 갔다 하는데

Human 성분이 절반을 넘어 점점 많아지면 사려 깊고 정의로우나

Human 성분이 절반에 못 미치면 본능과 탐심에 얽매여 살아가지

아가야, 이 얘기를 흥미롭게 듣는 너는 분명 Human이구나

Human이 '인간'이란 Animal의 몸에 깃든지 어언 4만 년,

유인원 계통의 진화 선상에서 본다면 '인간'은 기하급수적인

엄청난 비약을 겪었지만, 실은 고작 50%만 동화되었을 뿐이야

완벽하게 Animal의 몸을 차지하기까지 아직 시간이 더 걸리지만

현재 가속도가 붙어있어서 지나온 시간과는 속도가 확연히 달라

지금까지 50%에 4만 년, 앞으로 나머지 50%에 얼마나 걸릴까

100년 지나면 '인간'에게 남아있는 Animal은 죄다 사라질 거야

인간이 원래 Human이라는 사실을 전 인류가 미리 알게 된다면

기간이 배로 앞당겨져 50년 뒤 극적인 변화를 맞을 수도 있어

물질 육체에 사로잡힌 Animal의 역사는 종말을 고할 것이야

할머니의 이야기가 끝나자마자 아이는 스르륵 잠이 들었다

아이는 꿈속에서 순식간에 맑은 청년으로 성장했다

그리고는 아직도 완전한 Animal 상태에 있는 인간들과
문명인이라지만 Animal 성분이 훨씬 더 많은 인간들과
Animal과 Human의 경계를 자주 넘나드는 인간들과
가끔 Human 성분이 50%를 넘어가는 인간들과 마주친다
눈이 깊은 청년은 그들을 단번에 알아본다
지구가 잉태한 수많은 물질생명체들과 달리
머리를 세우고 하늘을 올려보며 미소를 짓는
Human이 자신임을 확실히 알고 있는 것이다

제 3의 눈

제 3의 눈이 있다는
제 3의 눈이 없으면
두 눈을 뜨고도 볼 수 없다는
현자의 속삭임이 귀에 바싹 닿아 있네

우리는 거기서 그것을 바라보고 있었으나
거기서 우리가 바라보고 있다는 것만 알았지
우리가 그것을 바라보게끔 되어 있는 줄 몰랐지
우리의 눈이 아닌 눈으로 본다는 건 더욱 몰랐었지

두 눈 뜨고도 못 보는 인간들이여
시간의 정수리에 구멍을 하나 더 파시라
어디에도 대본이 불필요한 다음 생을 예측하자
몰라서 답답하고 답답해서 모르는 태생에 시름하며

영원한 생명을 얻기 위해 온 세상을 떠돌아 다녔지
환생에 환생을 거듭하며 윤회 업보 이고 지고
눈물의 강에 상심의 노를 맥없이 휘저으며
한 세월 쓰린 사연 구성지게 머리 풀고

절망의 계곡 끝에 더 이상 매달려 있지 못했지
가파른 절벽의 바닥없는 낭떠러지 아래로
터지며 분해되는 자신을 바라보았지
제 3의 눈이 번뜩이고 있었지

구름껍질 바깥으로 머리를 내밀어라
전생에도 영생을 찾아 헤매었던 너에게
거북이 머리 구워먹듯 반복하고 있었던 너에게
속눈 뜨이는 법문法文 한 소절 일러두지

생각을 일으키지 않으면 그대로 부처이니라
보아라, 삼천대천세계가 내 집이니라
해탈에 집착 말고 이 말을 새겨라
너는 부처의 환생의 환생이다

부처는 생명 과일을 따러 담을 몇 차례 넘었다
사과를 그리는 진지한 사람들과 만나기도 했다
자기 얼굴을 그리는 적막한 사람들도 만났었다
그 곁을 지키는 사람이 되고자 침묵하기도 했다

침묵이 답일 때가 자주 있었지
입을 떼기만 하면 죄를 지었지
정구업진언淨口業眞言
수리 수리 마하수리 수수리 사바하

부처의 환생의 환생의 환생이라 위로를 주심에도
이번 생에 또 숱하게 거짓을 고하고 다녔습니다
전생의 파도를 몇 겹 타고 다시 만난 당신에게
지금도 진실은커녕 갖은 핑계로 상처를 줍니다

현자의 말씀대로 제 3의 눈은
사방팔방 어디서도 번뜩이며 기록하네
두 눈 뜨고 볼 수 없는 이 세상을 지켜본다네
전생을 타고 흘러온 거짓 속마음을 죄다 알고 있네

검은 사각형

경계를 생각한지 오래
너와의 경계, 그들과의 경계, 저들과의 경계,
차이에 대한 경계, 무지에 대한 경계, 빛과 어둠
그러나 말레비치의 한 점 그림 앞에서 멈추어
대상이 사라진 시커먼 어둠으로의 잠수
검은 사각형에 첨벙 뛰어들었다
데이비드 호크니의 취향처럼

블랙커피 가득 찬 수영장처럼
검은 물보라는 한 점 일렁임도 없이
향기만 남기고 몸의 감각을 없애버렸다
숨구멍을 막고 허파마저 새까맣게 그을리자
빈틈없는 어둠을 닫힌 피부로도 볼 수 있어
스마트폰 액정이 밝아지듯 생각 하나가 켜진다
경계는 가상假像, 방위方位는 없다!

직선 테두리는 무한 확장의 단면
세계의 내부는 완벽한 결합 상태

황금 가을

당신을 만났던 가을에
세상은 온통 황금빛이었습니다.

아무리 이치를 따지고
사리분별에 정확성을 기하면 뭣하겠습니까?

당신의 눈에서 세상은 광채를 발산하며
온 몸에 물결치는 열정을 주체할 수 없어서

살아온 날들의 치명적인 결함을 감추고
당신의 가을에 넋을 잃고 말았습니다.

넋 잃은 강가의 은행잎을 잊을 수 없습니다.
그때는 낙엽길이 아니라 황금의 숲이었습니다.

가을은 찬란한 잎사귀를 무한히도 흩날리며
당신의 미소를 이 세상의 무엇보다 더 눈부시게

그 눈부심으로 세상의 물상들을 다 지우고
당신은 유일한 가을의 머릿결로 향긋했습니다.

비가 내려도 당신의 눈에서는 황금이 쏟아졌고
우산 지붕에 떨어지는 깨알 같은 소리를 들으며

영원한 가을을 꿈꾸기에 충분했던 강가의 아침
에덴의 동산 이전처럼 아무런 죄의식이 없었기에

당신을 사랑한다며 마음대로 속속들이 젖었기에
세월처럼 쌓여 있던 결함도 타버릴 줄 알았습니다.

다 타버린 토양에 새로 피어난
한 송이 가을꽃인 줄 알고

스스로 아름답다 착각했던 신비의 가을이었습니다.
당신의 눈은 잠시도 멈추지 않고 황금을 뿌렸고요.

황금비에 꽃을 심고 한 계절 정신없이 돌아서니
가을은 당신을 잃어 영롱하게 울고 있습니다.

3부

美, 感性

여행

겨울이 비스듬히 눕자
엷은 햇살이 전파처럼 허공에 금을 긋는
인적 드문 지붕 밑에 투명 바람 일렁이며
새 길이 열렸다는 소식을 듣다

듣자마자 나는
어느 틈에 그 길 입구를 들어서던 참이었고
누군가가 적셔주는 물을 마시고
누군가가 벗어준 외투를 입는다

또 누군가가 건네주는 이야기를 들으며
한 걸음 떼고 나면 다시 돌아오지 못한다는
알 수 없는 설명에도 고개를 끄덕이며
앞서 가는 사람 하나를 외우고 있다

멀리 보니 길의 끝자락에
시간이 빙빙 돌며 굽이치는 회오리
그리고 겨울을 일으켜 세우는 칼바람
누군가 내 손을 붙들고 정면으로 달린다

이런 것인가, 이번 여행은
누군가가 아니라면 어림도 없을

이 질주의 정적에 부딪혀
빛이 품은 갖가지 색채가 터지며
영혼의 갈래들을 양 팔로 펼치는 하늘 풍경
그 한 가닥에 맞닿아

나는 비로소 숨을 마신다
하얀 눈 첫발 내딛는 떨림이어서
이전에 알지 못한 새하얀 눈물이어서
떠나온 곳을 단번에 잊는다

다른 방

현관문을 열려는데
문틈으로 몽환적인 공기가 새어나왔다
멈칫하기도 전에 스르륵 문이 먼저 열렸다
잘못 찾아온 것 같았으나 번지수는 맞았다
현관 밖을 다시 보고 안으로 들어섰다

너는 누구니?
얼마동안 기다렸니?

분명 어제와 같은 공간으로 발을 들였으나
오늘 이전은 모두 한 개의 상자에 포장되어
막 던져진 파일처럼 앞뒤가 구분되지 않았다
들려온 목소리는 알 듯 말 듯 했으나
누가 누구를 기다렸는지 모르게

익숙한 듯 익숙하지 않았고
알 수 없는 촉감이지만 어색하지도 않았고
그리 따뜻하진 않으나 몹시 냉랭하지도 않고
내 것인지 남의 것인지 모를 인식이 생긴다
한 걸음 더 안으로 들이려는데 발이 굳는다

나가고 싶으면
언제든 가도 좋아

어찌된 일일까?
지금까지 누군가로부터 가장 많이 들었던
그 말을 하고 있는 당신은 누구인가?
무심함인지 아닌지 해독이 어려운
그래서 인생이 갈피를 못 잡는

당신은 애초부터 나를 끌어당기지 않았으나
나는 당신 곁에서 숱한 날들을 머물고 있다
담담한 목소리는 온 몸에 뉘엿뉘엿 번지고
예기치 못한 반중력 상태로 말미암아
망막에 머무는 잔상도 없다

나한테 말했니?
나한테서 들었니?

말하는 자와 듣는 자가 같은 지점에서 빙그르
은하수 보다 격렬하게 뒤섞이려 한다

가까이 온다면 뭐든 주지
마음 푹 놓고 기꺼이 잠겨 봐도 좋지
그 말은 목줄 잡은 사람에게서 가끔 들었죠

그 말은 나가고 싶은 발걸음을 멈추게 해요
당신의 질문은 한결같이 너무 쉬워서 어렵다
어디서 몸집 작은 인형의 울음소리가 들린다
어릴 때 친하게 뛰놀던 아이의 옆모습 같았다
고개를 한껏 기울여 다른 방을 엿보고 싶었다

당신은
저기서 쉬나요?

잠시 일으킨 환각은 서둘러 적응할 수 있다
안으로 더 들어가고 싶은 충동 때문에 오히려
입구에서부터 발이 꽁꽁 묶여 버린 가련함이
나에게로 아주 촘촘히 흡수되어
현관문을 마음대로 활짝 연다

뒤로 물러서도 이미 뒤가 아니고

앞의 시간 또한 뒤엉킨 파일 속에 앉았겠지
아무리 헤집어 찾으려 해도 내 기억과는 무관한
이곳의 단서를 발견해 낼 수 있을까
당신의 꼬리가 스르륵 미끄러져 들어간 저기

다른 방
일렁이는 고요

내가 대신

아프면 좋겠구나
그 말씀은 신비의 약처럼
통증을 없애주었다
나도 대신
뼛가루로 고향집 뒷산에
뿌려지면 좋겠습니다
이 말은 효능 없는 물처럼
하늘 경계면 아래로만
맺혀 구른다

저물녘

물질계
물질적인 마음
아상我相은 물질이 그린 얼굴
나도 모르는 내 얼굴

물질을 먹고
물질을 마시고
아상我相의 피부는 두꺼워진다
나도 모르는 내 탐욕

지구의 몸만큼 커져버린
나만을 위한 마음
털어낼 자리 하나 없는
지상의 한나절 속에

저물녘, 잠시 맑아진 눈동자로도
물질 이외에 아무것도 감지할 수 없어
모르는 누군가를 하릴없이 부르며
부정맥의 심장을 꺼내 씻는다

너무 늦기 전에
밤보다 두꺼운 껍질을 벗겨내야 한다
마지막 석양의 빛나는 손길을
바라볼 수 있도록

별 아이

별이 사라진 밤
별을 줍던 아이는
없는 하늘에 닿으려
마르지 않는 슬픔 흘리지 않으려

신전으로 갔다
아무 소리의 표정도 보이지 않고
아무 빛깔의 물결도 들리지 않고
안과 밖의 구분이 없을 때

어떤 율동이 생기며
어떤 떨림이 생기며
없던 하늘이 생기며
아이에게 닿아 포근히 안아

이토록 오래 참았구나
너의 별은 다시 빛날 거야
힘들여 떠다니지 않아도
별이 내려와 너에게로 올 거야

아이는 처음 맨 처음 주웠던 별을
신전의 목에 건다
한동안 체온이 떨어져 창백했던 별이
환한 미소로 다시 깨어난다

모처럼 휴가

비행기가 뜨자
돌연히 생의 궤도를 이탈한
차가운 목소리가 어깨 옆 좁은 유리창에 붙는다
뒤로 비스듬히 기울어진
시간의 중력, 당기고 또 당기는
팽팽한 장력을 거스르는 가속 직진
휘감기는 기계음이 무지향성 동굴처럼 다가와
세상의 모든 형상을 차단하고
떨림만을 던져준다
이 비행기에는
70억 개의 내가 날치알처럼 빼곡이 웅크리고 앉아
각기 한 개씩의 떨림을 배당받고 있구나
이렇게 기울어진 상태에서는
주어진 좌석 하나에만 집중해야 한다
고도가 높아질수록 창밖에는 더욱 차가운 목소리들이
물방울로 접착되어 파리한 응고의 표정을 짓고
나와 마주한 경계의 얇은 막을 일깨운다
가깝고 투명하여
측면 실눈으로도 고양이처럼 실감나는
수천 억 사라져간 생들의 결속

눈물의 환영인가 싶을 때
휘감기는 급류가 비행기의 왼편 날개를 때리며
가까스로 붙은 물방울들을 유리창 외벽에서 떨어낸다
나는 수평을 잃어 세 차례나 휘청거렸지만
뻗은 손 허공에 바동거리며 급격히 멀어져가는
나 아닌 것들에 대한 감각
나 아닌 존재에 대한 망각
번뜩이는 자각으로
궤도의 안정을 갈망하는
반사적인 촉각이 바늘처럼 돋아나고
태어나기 전부터 아예 잃어버렸던
내 날개의 흔적을 더듬는다
굳은 어깨를 쓸어내린다

다시 디딘 지상의 발가락 사이로
촉촉한 습기가 모락모락 증발하고 있다

지나간 풍경

기억 없는 캄캄한 밤하늘을 펴서
구김 한 줄 흔적도 없이 말끔한 다림질
뒤집고 뒤집어도 손댈 곳이 없도록
바람결처럼 마냥 밀고 스치고

이토록 옯게 펴지 않았더라면
밤하늘이 숨 쉬는 모공을 어찌 알았을까

주름 없는 어린 날의 피부 위에
어머니는 한 땀 한 땀 별을 기운다
솜털 같은 빛줄기가 흩날리면서
집과 마을과 바다를 그린다

유리 극장

그가 눈을 뜨자 하늘이 보였다
하얀 구름이 드문드문 떠 있는 파란하늘
조심스럽게 짧은 숨을 들이쉬었다
몸이 가벼운 생기를 얻으며 개운해지는
원인 모를 존재감
손을 들어 눈앞에 펼쳤다
손가락이 안으로 쉽게 말리고
뒤로 약간 젖혀지고
손바닥을 맞대기도 얼굴을 감싸기도
몸을 쓸어내리며 형태를 음미하기도
차츰 숨을 깊이 담아본다
가슴이 부풀어 올랐다 내려앉는다
발가락은 제각각 꼼지락
접히는 팔꿈치와 무릎
등의 촉감이 갑자기 간지러워서
돌아누울 생각이 들자
지평선까지 펼쳐진 풀밭
그 너머 아득한 바다의 결눈질

그가 뜬 눈을 더 크게 뜨자 나풀거리는

나비 떼, 빛 알갱이 다발, 바람의 긴 머리
저도 모르게 팔을 뻗는
원인 모를 아련함
간절한 목덜미
너에게 생기를 불어넣은 자
눈물도 함께 안겼으니
조심스레 발 딛고 일어나 고개를 돌리며
숨을 밖으로 내몰아 입술을 떼어본다
아, 아, 아…
대기의 첫 떨림이 새로운 막을 열어젖혀
곧이어 독백 가능한 연극이 시작되었다
너를 무대에 세운 자
유리 커튼도 객석 사이에 세웠으니
걷고 싶은 대로 아무데로나 밀고가면
피부처럼 가벼운 탄성의 커튼도 밀려나서
무대가 한없이 넓은 것 같은 착시가 일고
스스로 우려낸 것 같은 욕망도 넘칠 터인데

닿고 싶은 손길은 언제나 건너편에
물끄러미 젖은 눈길도 객석에만 있다

삼거리 식당

대한민국의 어느 도시 어느 마을에나 하나 쯤 있음직한 이름의 허름한 식당에 들어가니 리모컨 없는 구형 TV에서 최신 IS(이슬람국가)의 활약상이 색 바랜 역사물의 컬러처럼 현실과 진실을 포로삼아 날뛰었다. 냉수와 온수 버튼이 있는 정수기에선 냉수만이 작동했다. 삶의 조건에 약간 불편한 냉수의 배앓이를 감당해야 하나 고민하다 그냥 한 컵 받아들고 등받이 없는 의자에 걸터앉는다. 그러자 때마침 IS가 고대 메소포타미아 아시리아의 거대한 반인반수 조각상 사정없이 파괴하기 시작한다. 최신 할리우드 흥행작들보다 더 스릴과 전율 넘치는 영상 폭력의 실제를 목도하고 있으려니 저게 진짜인가 싶었다. 컷이 인물의 클로즈업으로 바뀌자 IS는 득의양양하게 TV 정면을 향해 검은 복면을 뒤집어 쓴 인질을 꿇어앉히고는 뭐라 열나게 떠들더니 목 뒷덜미에 총구를 겨눈다. 이 땅의 가장 흔한 식당에서 이 세상의 가장 흔하지 않은 광경을 바라보는 현기증이 식당의 울퉁불퉁한 벽면처럼 눈앞의 공간을 일그러뜨린다. 그 순간, 고막의 경계면 안쪽에서 발사된 원시 태초의 폭발음 같은 극단의 무진동 총소리 하나가 나의 숨골 깊은 가운데로 단숨에 파고든다.

시키지도 않은 계란말이가 나왔다

식당 주인께서 옆에 우뚝 서 있다
다른 손님들이 일제히 나를 노려본다
계란말이를 포로처럼 먹어야만 하는가

고립된 세계에서는 아무도 나에 대한 존재 상태를 전달 받으려 하지 않았다. 언제부턴가 안개처럼 거리를 떠돌며 누군가에게 소리치고 다녔지만, 이미 소통의 능력은 고갈되었고 외부 세계는 아무도 내 말을 알아들을 수 없었다. 그때 나는, 고립되었으므로 이 세상을 전격 통제할 수 있다는 번개 같은 깨달음에 무릎을 쳤다. 탈출은 언제나 가능한 것이었다. 검은 복면에 갇혀 캄캄한 총성을 듣기 직전 날선 소름이 돋는 순간, 식당 문을 박차고 나올 수 있는 용기가 갑자기 어디서 솟구쳤는지 레슬링 선수처럼 밖으로 몸을 날렸다. 흑백 화면 속 초점 흐릿한 역도산과 김 일 선수가 생의 환희처럼 공수도와 박치기를 날렸다. 그토록 신났던 판타스틱 TV에서 IS는 지금 무슨 미친 드라마를 찍고 있는 거야? 기묘한 낙법과 착지로 하늘과 땅을 가른 후 식당 반대편 큰 길로 냅다 뛰었다. 고립의 자유가 넘치는 거리에서는 달릴 곳이 마땅히 없었다. 사막 한 가운데에서 IS에 생포되어 무릎 꿇린 장면의 오버랩, 욕설과 총구의 불꽃이 클로즈업으로 빌딩 옥상의 광고판에서 번쩍인다. 달릴 곳 없는 나는 광고판으로 숨어 들어간다. 사막은 언제나 그리웠다. 낙타와 오아시스, 대상 행렬의 동경. 그러나 발을 안으로 딛자마자 각종 고금리 대출 광고에 빙그르 둘러싸이고, 목덜미의 총구는 이 세계의 갑갑한 자유와 컷 편집되어 지구 반대편으로 사라진다.

후각적 회상

그녀의 매니큐어
무슨 냄새가 나는 줄 몰랐다
그래서 직접 발라 보니
석유 냄새가 났다

밤늦은 회식을 하고 동쪽으로 향하는 지하철 종점에 이르자
한쪽 귀가 달그락거리는 자정이 뒷걸음질 치고 있었다.
간밤의 꿈은 부끄러웠으나 이미 겪어보았던 것처럼 익숙했다.
피곤할수록 하얀 페인트를 칠한 것 같은 빈 생각 속으로
알 수 없는 존재가 다가와 줄 것처럼 어깨를 기울인다.
자정이 멀어지면 승냥이처럼 슬그머니 어둠에 누워
굽은 잠을 덮는다. 도대체 몇 해나 흘렀을까?
감각도 기억도 정서도 모두가 빙판 같은 밤하늘에
별가루가 흩날리자 이것이 현실인지 혼절인지 모르겠다.
의식이 끊긴 순간과 돌아온 지점 사이의 싸한 간헐적 공백은
그야말로 '없음'이다. 그야말로 살아 있는 '없음'의 감각.
그녀는 없었으나, 있었던 단 하나의 냄새이다.

석유 냄새는
새로 뽑은 차에서도 났다
냄새가 냄새로 대체되는 시간은
셈하지 않아도 알 수 있다

밤바다 근처

어둠을 끼고 지하철역으로 향하는 골목길에서
그는 찬바람에 목을 움츠리며 망설이듯 말했다.
"잃어버린 여자를 떠올리는 건… 이를테면 통증이야."
그의 발걸음은 차분했고, 표정을 읽어낼 수 없었다.
"마음에도 신경조직이 거미줄처럼 쳐져 있는 게 분명해."
그는 마음의 미세한 감각을 잠시 음미하는 것 같았다.
"파도처럼 밀려온 그녀는 뒤로 결코 물러나는 법이 없지."
건너편 어둠을 물끄러미 응시하던 그는 계속 내뱉는다.
"포말로 하얗게 부서질 때 내 눈에서 마치 백내장처럼…"
그는 어둠이 눈부시다는 듯 손등으로 눈을 비빈다.
"눈을 감아도 하얗게 붙은 그녀의 모습이 떨어지질 않아."
호주머니에 넣어둔 왼손가락이 담배를 꺼내들고 나온다.
"견딜 수 없어서 다시 추억을 피우기 시작했어."
성냥불이 켜질 때 건너편의 어둠이 더 어두워진다.
"오랜만이야, 이 맛에 또 한 번 젖어보는 건…"
내뿜은 연기가 냉한 공기 사이로 스미는 율동을 바라보며,
"변함이 없어, 이별의 맛은 오래 묵어도 그대로 남아있지."
끊은 것이 아니라 참을 뿐이라는 그는 길게 숨을 내쉰다.
"사슴처럼 그리움을 참아야 하는 운명의 사람도 있지 뭐."
지하철 계단 앞에서 담배를 툭 떨구며 그는 손을 흔든다.

"방법이 없어, 계단 앞에서는 내려갈 수밖에!"

중간쯤 내려가는 계단이 가파르다.

그가 웅얼거리는 혼잣말이 지하 기류를 타고 올라온다.

"계단을 헛디디고 싶군!"

갤러리 문화

비닐봉지를 쓴 분들만 입장하세요
이번 작품들은 맨눈으로 보면 안 됩니다
관람객들의 얼굴은 빨갛고 파랗고 노랗게 각양각색으로 준비되어
얼굴 없는 큐레이터의 협박이 일상어가 된 전시홀에 도열했다

숨을 쉴 때마다 입과 코에 쩍쩍 달라붙는 비닐이
네온사인처럼 여기 반짝 저기 반짝 타다탁탁 토도톡톡
한 여름 밤 전기 벌레채를 휘두를 때처럼
내장 터지는 소리로 홀을 울렸다

입구에서는 비닐봉지를 서둘러 쓰고 들어오려는 관람객들로 붐볐다
어제 밤 단체문자는 이랬다, 제 시간에 도착하지 않으면 책임 못 집니다
문 밖의 세상에서는 작품을 볼 수 있는 기회가 없었으므로
책임을 묻는다는 말에 대다수가 심장이 덜컹거렸다

정면에 제1 전시홀이라 플래카드가 걸려 있었으나 제2 전

시홀은 없었다
이제 입구를 폐쇄합니다, 비닐을 목 아래까지 단정하게 내려주세요
숨구멍 앞에서 팔락이는 색색가지 비닐의 율동이 속도를 더했다
가축 얼굴 피혁을 뒤집어 쓴 네 명의 패널이 단상에 올라왔다

자세는 엄숙했으나 소, 말, 개, 돼지의 형상이라 홀에 웃음이 새어나왔다
웃음은 작품의 질에 치명적인 독소라는 공지를 잊었습니까?
곧 홀의 중앙에 둥근 테이블이 운반되었다, 올라가세요!
웃음을 흘린 관람객들이 모두 올라서자 틈이 없었다

네 명의 패널은 서로 얼굴을 돌아다보며 토론을 시작했다
작품에 변화가 생겼으니 전시 변경이 불가피하게 되겠군, 돼지 소리였다
비닐을 허리까지 내리겠지 뭐, 소와 말이 동시에 눈을 껌벅거렸다

내려서 벨트로 묶으면 오리지널보다 더 나아질 것 같잖아, 개 소리였다

비닐들은 더 이상 견딜 수 없을 정도로 숨이 차오르자 벽쪽으로 쏠렸다

큐레이터는 미리 짠 프로그램 순서대로 작품이 진열되어 뿌듯했다

다음 작품은 테이블이 수족관으로 변하는 매직 이벤트였다

벽을 타고 뒹구는 비닐이 발끝까지 둘둘 말리고 있었다

패널: 물고기와 애벌레의 향연이라, 아름답군!

큐레이터: 한 작품 더 남았어, 나비가 돼지머리에 앉을 거야!

예약 문화

지금 와서 예약이 안 되니 내일 예약하라고
내일 오면 안 되냐 하니 내일로 예약하라고
지금 예약한다고 하면 내일 예약이냐고
지금 전화로 예약해야 내일 예약이라고

벌려 놓은 일을 정리해야 한다는 발상으로
약속 장소에 메모지를 꽂아 취소를 예약했지
그런 덕에 사람들 쓸려가는 기차역 출구에서
더 이상 내일 걸어갈 길이 없음을 예약했지

무슨 예약을 했는지 엉켜버린 추억의 회로에
깜빡깜빡 디지털 신호처럼 감지가 떴는데
누군가 내가 취소했던 예약을 예약하여
수신 미확인을 남겨둔 채 멀리 떠났지

이제는 성함이 뜨지 않는 전화는 안 받아요
입력이 미리 되어 있어야 예약이 가능하지요
나중을 위한 예약이 예약되어 있는 나중에는
받지 않는 전화 발신음처럼 내일이 없답니다

밤, 전자, 초콜릿

이 모든 일들은 자칭 똑똑한 아이들에게서 비롯되었다
하지 말라고 그토록 그 아이들을 다그쳤건만 똑똑해서
말귀를 알아듣지 못할 수준으로 추락과 추락을 거듭해
우리들이 지구를 돌리고 우리들 화성인과 만날 거라고
게임하며 놀면서도 온종일 유튜브 인스타 하면서 우린
똑똑한 걸 감당하지 못 하겠어 억 하는 뷰도 조장했지
그것 다 우리가 판을 깔아서 그래 시스템을 바꿀 거야
그럼 실적에 쫓기는 돈세상도 가고 잔소리만 늘어놓는
당신도 이백 살 거든 강아지는 이제 죽지 않아 확실히
울어야 할 일도 없지 똑똑하게 처신하세요 우리들처럼
이 모든 일들이 비롯된 자칭 똑똑한 아이 등장에 박수
옆에 사는 걔네들은 찬양을 하지요 세상은 확률이라고
옆에 사는 걔네들은 잘 놀래요 너무 휩쓸려 이제 제가
구원 받을 확률이 얼마죠 어떻게 저런 걸 잘 꼬집어서
시원하게 긁어 주시는데 당신은 사사건건 하지 말라고
뭐하는 사람이야 저 분의 날개를 못 보다니 어제 약속
안 지켰기로서니 카톡에 자꾸 토 달지 마시고 자 함께
다크 초콜릿 듭시다 이미 화성기지는 완성되었고 잠깐
기다리시면 지구를 평평하게 펼 수도 있어요 똑똑하게
앞서 가시는 저 아이 아니 저 분은 약속 따위 안 지켜

일용할 양식도 다 주셨잖아 달달한 건 절대 안 물려요
다크는 어둠이지 그래 어둠을 맛보는데 스윗하다고 확
껍질을 깨버리네 안은 텅 비었고 원자 속에는 그 뭐지
전자 맞지 그게 있다고 들었는데 참 똑똑한 아이 말씀
있지도 없지도 않아 인생은 구름 같은 거야 둥실 떠서
즐기는 놀이동산 롤러코스터는 올라갈 때보다 추락 때
밑도 없이 떨어질 때가 더 재미있어 진짜 안 똑똑하게
툴툴대는 당신 수준 차가 뭔지 알지 추락이 딱 그거야
추락에 추락을 거듭할게 그러면 우리는 태양계를 떠나
최첨단 행성을 하나 창조하겠지 당신 같은 구질구질한
인간은 다시 안 봐 당신이 뭐라고 다그쳐 미련한 수준
극복할 수 없는 수준 똑똑해서 말귀를 통 못 알아듣는
우리 수준에서는 온종일 놀면서 알 건 다 알아 잔다고
자는 게 아니야 원자 속에는 전자만 있는 것도 아니야
우리는 동시에 두 곳에 있어 실상은 여러 곳에서 있지
당신 생각을 다 읽어 자칭 똑똑한 우릴 추종하는 개네
시스템을 바꾸면 어쩌자는 거야 이백까지 살기 싫은데
밤이 깊어지자 뜬구름이 책상에 앉아 백일몽을 넘긴다

장군의 아들

옛날에 장군의 아들은 핫 브레이크를 힘차게 깨물었단다
핫 브레이크는 스니커즈보다 덜 촉촉해 물어뜯기 좋았어
자유시간보다 덜 딱딱해 한 입에 물어 잡아채기 폼 났지
옛날에 장군의 아들은 마트 통로를 활보하며 휩쓸었단다

그는 모자를 쓰고 있었다 마이클 잭슨이 다리 꼬며 던진
중절모를 받아 머리에 얹고 빌리 진 그 아이는 법적으로
내 아이가 아니라니깐 그냥 춤 한번 같이 추었을 뿐이야
유명세에는 음모가 따르지 스캔들은 근거가 항상 만연해

많은 유사품 경쟁 세상에서 언제부턴가 핫한 브레이크는
마트 귀퉁이에 밀려나 방탄이 통로를 접수한 오늘날에는
옛 향기로 회상하지 오오 장군의 아들 그는 맨 주먹으로
매장을 관리했지만 방탄은 군대를 동원하잖아 오예 아미

전성기를 회상하던 장군의 아들은 방탄의 마트에서 늙고
처음엔 멋모르고 방탄이 청소년 사격 동아리라 오해했던
어린이 자경단인가 의심했던 통렬한 반성과 후회를 안고
세상은 아미가 사수하기에 장군의 아들은 걸레질을 한다

장군의 아들은 아버지 장군을 승계하여 아들이 되었지만
나머지 유산은 제로 즉 자발적 흙수저의 먼지 같은 긍지
이제는 브레이크도 마이클보다 지민인데 낄 자리가 없지
어제 밤 갤럭시 폴더블폰 광고 보며 인생을 접기로 했지

지금이 그때

왜 아버지라는 사람들은 술을 마시는 걸까?
왜 아버지라는 사람들은 술을 마시고 노래를
한 소절 흥얼거리며 골목길로 들어서는 걸까?
왜 아버지라는 사람들은 골목길에 들어서서
비틀거리는 몸을 가누며 취한 노래를 부를까?
마루에 털썩 주저앉는 아버지의 푸석한 몸이
왜 나라는 사람에게 애잔한 마음을 안겨줄까?

30년이 지난 뒤 나는
왜 아버지가 술 취해 부르던 노래를 따라할까?
술 마시고 돌아서 걸어갈 골목길도 사라졌는데
왜 지금도 아버지는 술에 취해 노래를 부를까?
그런데 왜 나는 아버지처럼 노래를 못 부를까?

KO-LINE WEST EXIT

난생 처음 누군가와 만날 약속을 해 봤었지
약속하기 전에 누군가는 어디서 어떻게 그 멀고 아득한
세월을 살아왔는지 모를 수밖에 없는 것이었지
그곳은 온 종일 사람들이 쓰나미처럼 쓸리며 오갔지
떠밀려 다리가 휘청거리는 사람들이 너무나 많았으므로
단 한 사람도 주목되지 않는 아주 희한한 곳이었지
날마다 그곳을 통과해야 했던 나는 제 정신이 아니었고
난생 처음 미리 약속한 그 누군가의 만남이
진귀하고 설레는 경험일 것 같아 두근거리고 있었지

소리 없는 많은 말들이 스마트폰 디지털 부호로 날아왔고
바쁜 일 중에 문자를 날리고 있다는 인상이 강했습니다
이메일 편지에도 이미지를 꾹꾹 심어주던 누군가는
허리 꼿꼿한 사람
목도 꼿꼿한 사람
PC 키보드를 가르는 날렵한 손가락이 떠오를 정도로
심장보다는 머리가 훨씬 앞서 가는 사람일까요
문자를 두 손가락으로 천천히 찍는 스타일인 나는
대화의 스피드가 한 박자 느린 어설프고 뒤처졌습니다

단순히 그 탓만은 아니었겠지만
누군가의 전부를 미루어 짐작하고 또 하고 그러다 그만
오히려 허겁지겁 한 박자 빠른 판단을 해버린 나의 돌발
생애 첫 약속장소에서 불안과 조바심으로 종종거리다가
앞서 온 기차를 타고 먼저 떠나버리고 말았습니다
반대 방향으로 떠나는 동쪽 행 기차였습니다
스스로도 해명이 불가능한 반대적인 행위
서쪽 출구로 나가는 사람들을 눈썹 아래로 살피면서
어지러운 기적소리에 묻혀버리려 고개를 숙였습니다
혼자 서 있을 누군가를 잊으려 더욱 파묻혔습니다

그때는 반대편으로 달아나야만 한다는 생각뿐이었다
달아났지만, 그림자 이미지뿐인 그 누군가의 잔상이
달아나면 달아날수록 뒷목에 가까이 다가와 붙을 줄은
그곳 서쪽 출구가 커지고 커져서 가슴을 짓누를 줄은
머리 아닌 심장으로 회한의 눈물을 흘리게 될 줄은
동쪽 행 기차가 서쪽 출구를 향해 휘어 달리게 될 줄은
휘어지고 휘어져 같은 자리에 멈춰 서게 될 줄은…

무선 이어폰의 기적

무선 이어폰을 귀에 꾹 밀어 넣은 다음
터치 센스가 안쪽으로 향하도록 직각으로 돌리면
소음 차단 모드에서 외부 세계가 사라진다
소리의 파동을 거꾸로 돌려 합친 자연현상인데도
침묵의 밀실에 들어와 문을 닫고 앉은 것처럼
기적 체험 현장 같은 탄성이 튀어나온다

간밤에는 꿈에서 콘스탄티누스 대제를 만났다
스마트폰 동영상 촬영 버튼을 누르고 질문했다
십자가를 눈앞에서 보셨다면서요?
저기 저 하늘쯤에서 확실히 둥둥 떠 있었어요?
회상에 젖은 눈동자가 모니터에서도 감동입니다
체험은 기적을 받아들이는 창구가 확실하죠

"인터뷰 감사합니다. 촬영 클립을 보여드릴게요."
재생 버튼을 플레이 할 때 그는 기대감에 들떴다
조금 전 자신의 모습을 자기 눈으로 볼 수 있다니
인터뷰 말미에 콘스탄티누스는 혼자말로 중얼댔다
'신은 십자가 말고도 많은 기적을 준비하셨도다!'
그는 스스로 대제의 칭호를 두 팔 벌려 환호했다

무선 이어폰을 낀 채로 잠이 들어
아침 알람조차 적막한 기적을 맛보았다
창문 열어 중천에 뜬 태양을 눈 비비며 바라보니
번쩍 강렬하게 망막을 파고드는 시신경 마비에
십자가 모양을 본 것 같기도 하다
체험은 믿음의 창구이기도 하다

첫 번째 꽃

아무도 모르는 홀씨 하나가 깨어났을 때
땅이 손을 뻗어 홀씨의 발목을 잡았을 때
누군가 이제 막 다가선 사랑의 향기를 느껴
시간의 앞뒤 부위를 세세하게 닦고 있습니다

이 세상 가장 간절한 환경을 조성하여
생명의 발아發芽를 기도하기 위해
닦고 또 닦은 전생과 전생의 기다림에
두 손으로 감싸며 지켜볼 내일과 또 내일에

그 마음이 길러낸
첫 번째 꽃, 사람 꽃

학창시절

교정에 사과가 날아다녔던 창문 밖
미네르바 여신상 머리 위에 까마귀

창문을 열면 독수리가 날아와
까마귀 떼 쫓으며 목청을 뽑았지

숲속 안쪽에서 나무들은 노래를 부르네
턴테이블 위로는 금지곡들이 돌아다녔네

사과 맛은 매운 맛
창문은 닫히기만 했다

어느 날 가출한 여자선배가 전화를 걸어왔지
미안하지만 지금 못 나가겠는데?

교정의 낡은 잔디 위에는 막걸리
그리스 양식의 강의실 건물 뒤에는 와인

디스코 노래는 언제까지 유행할 건지
지루한 거짓말은 언제쯤에야 끝날 건지

4부

藝, 想念

교생 실습

Spring 여고에서 고1 Flower 반에 배정되었지요
처음엔 DMZ 수색대 같았던 미묘한 눈빛들이었어요
머뭇거리며 기억상실증처럼 첫 시간이 죽어나갔고요
교실 문을 나서는데 깔깔 소리가 뒷머리를 잡아챘죠

여고 1년생의 솟아나는 기운이 미래를 투포환 마냥
하루 살다 홀연히 밤중에 사라질 풀꽃처럼 던지네요
거침없이 터져 나오는 저 생기를 누가 싫다고 할까요
흥이 돋아 Ecstasy라는 자작시를 열렬히 낭송했지요

어느 비 내리던 날
선생님 시에 반했어요
직사각형 교사校舍를 등 뒤에 펼쳐두고 한 아이가
붉은 Flower 한 송이 들고서 비에 흠뻑 젖더군요

그날 밤 완벽히 캄캄한 꿈의 틈새로
잿빛 직사각형 건물의 창문 백 개가 일제히 열리고
백 개의 어린 여자 얼굴이 창밖으로 불쑥 돋아나와
환호와 박수와 괴성을 지르고 있었어요

비가 계속 내리던 다음 날 어제의 그 아이는
노란색 봄꽃이 뭉게뭉게 돋아난 우산 한 개 들고서
저희 학교는 두 개의 큰 건물이 마주보고 있어서요
비 오는 날이면 학생이 이렇게 우산을 건네준답니다

교무실이 자리한 건물과 교실이 있는 건물 사이
10미터 남짓 계단 양쪽으로 사제 간 도열의 풍경
학생들은 두 개의 우산을 들고 선생님들께 건너간다
한 아이만이 한 개의 우산으로 계단을 건너고 있다

비 내리는 날의 관례 행사
선생님을 수업으로 모시는 아름다운 볼거리
가까이 다가온 노란색 봄꽃의 아이는
들어와요 선생님 같이 가요

교실이 있던 건물의 창문들은 이미 다 열려 있었고
멍한 귀에 또렷이 맺힌 어린 여자 얼굴들의 Ecstasy!

홀릭

2주 전 앉았던 그 자리에서
2주 전 마셨던 콜롬비아 핸드드립을 다시
오늘은 10월 5일
강줄기 따라 한 블록 너머에는
2주 전 바라본 그 창가
강아지는 잠을 자고

비가 오잖아
마치 기다린 것처럼
하얀 벽에 튕겨져 나오는 노래
헤어진 연인들이 부르는 통속적인 노래
마치 기다린 것처럼
쓸쓸한 노래

케이크 진열장 위에 놓인 달력
어제 기억에 붙들려 오늘로 넘어오지 못하고
말을 잃은 10월 4일 금요일
급류 같은 사연에 휘감겼던 망각
우두커니 젖은 시선으로 파도소리를 느끼지
창밖엔 흔한 통속의 연인들이 잘도 오가는데
오후 한 시로 예매했던
두 장의 영화표는 이미 시간을 넘겨

빈자리가 스크린을 바라보겠지
누군가가 거기 앉겠지
모르는 두 사람이 속삭이겠지
2주 전 그 자리에 앉아 귓속으로 홀로 듣는
바닷가 거기서 휘파람을 부세요
제가 보고 싶을 땐 두 눈을 꼭 감고
나지막이 소리 내어
나지막이 밤공기를 밀어내요
밀어내요 이 시간을 지나온 손장난을
다가올 말장난을
다가와서 지나갈 꿈을
아무 것도 없이 소진될 인생을
출근해서 일만 하는 타성을
인정받고 싶은 욕망을
얻고 싶은 미래를
노래는 환한 벽과 어두운 귀속 벽을 때리는
진정한 양 방향 스테레오
양 방향이 정면으로 부딪히면 둘 다 모르지
파동 충돌은 도시의 하늘만큼 피곤하지
여름 이래 수면 부족 증상이 눈꺼풀에 붙어
정신은 죽는데 피로는 살아
들려오는 말을 알아듣지 못해서

가까이 초점 잘 안 맞는 얼굴이 성질을 낸다
살짝 웃으며 성질을 내면 진짜 성질 맞지
무서우면 딴 생각이 급습하는 습관
모면하고픈 순간이 많았던 인간의 비열함으로
무슨 소리인지도 모르는 헛소리로 연명하지
그렇게 살고 싶지 않았지만
딴 생각은 눈빛으로 들킨다
안 들키고 살 수 있는 세계는 없어
탈탈 털리고 바보가 되지
어지럽게 2주 전의 시간을 건너와
힘겹게 바보가 되었지
2주 전에는 이 정도까진 아니었거든
왜냐하면 이곳은 홀릭이야
HOLIC COFFEE & TART
홀린 거야 여기서 콜롬비아 핸드드립 마시고
콜롬비아 마약 봉지를 위장에 삼킨 것처럼
비틀거리는 오후와 열악하게 맞장을 뜨고
소멸의 입구로 한 발 내딛는 거야
비틀거리는 시야의 가장자리에
남자가 남자를 안고 있는 사진이 보여
저것도 홀릭인가 희망인가 갸우뚱하고
러브홀릭은 이제 오래전 노래

그대만 있다면 흐느끼는 인형의 꿈속에
한때 한껏 잠겨보려 했었으나
노래는 귀의 안과 밖으로 각기 들리고 있네
밖은 제이슨 므라즈 안은 러브홀릭
피곤한 파동 충돌을 견딜 수 없게 되었을 때
10년 전에 집에서 나왔다고 했지
그런 말은 함부로 하지 말았어야지
말이라고 다 받아주는 사람이 어디 있겠어요?
아무도 신발 밑창이 떨어진 겨울날을 모르고
누구의 추억인지도 관심 없는 함박눈이 내렸다
살얼음 같은 양말을 벗겨낼 겨를도 없이
그 길로 2주 전에 이르렀다
비바람이 몰아치기 시작한 토요일 정오였다
홀릭, 안락을 제공할 것 같은 속삭임에 중독된
이곳 커피는 핸드드립
개인소득 3만 달러 시대니까
버거킹 4딸라 시대니까
여유 있게 핸드드립을 마셔주셔야지요
쓸데없는 이야기를 나눌 때에도 커피는 있어야
공허가 채워지지 않겠어요?
남의 속도 모르는 소리
같은 얘기를 5번이나 반복한 탓에

잠이 오지 않아요
결코 채워지지 않아요
옆자리엔 누구도 앉히지 않겠어요
이따금 혼자서 블루투스 연결하기
가수도 아닌 남자가 녹음한 노래 듣기
익숙해졌어요, 이 모든 상태
당신이 사라진 다음날부터 너무 많은 일을 해요
당신을 생각하는 시간을 빼고 나면
얼마나 할 일이 없기에 이런 짓을 하겠어요?
숨을 참고 참고 또 참기
한 옥타브 위로 침묵의 비명 지르기
고음이 잘 나오지 않을 땐
가끔 창밖도 좀 보고 그러세요
사랑과 경멸은 한 쌍이라잖아요
고다르 감독은 브리짓 바르도를 사랑했겠죠
짐작만 해도 잠시 솔깃해지는
타인의 사생활
안나 카리나와 결혼했지만
그녀는 1940년생 비브르 사 비
찻집에서 만난 걸인은 세상의 이치를 알기에
누구나 그에게 담배를 한 개비 줄 수 있지
누구라도 그러하듯이

배인숙의 노래는 여전히 좋은데
커피 한 잔만 시켜놓고 둘이 마주앉아
헤어지자는 건 사소한 말다툼 탓
아니면 불쾌한데도 웃어주는 얼굴 탓
각자 능력껏 살까요?
가슴 한 구석 허전해지는 발상
인간이 자신만 믿고 무엇을 할 수 있을까?
빈 생각도 필요할 때가 있고
빈 사람도 절실할 때가 있지
딱히 재능 없으면 없는 대로 살겠지만
조금 할 줄 아는 게 있으면 거기 발목 잡히지
사랑한다 해 놓고 사랑을 말끔히 거두는
사람의 습성을 나무랄 수도 없지
먹고 사는 생존이 목적이라지만
도대체 꿈은 왜 꾸는 것이며
꿈 바깥의 일상에서 냉정한 눈으로
예술가에게서 존경심을 거두면 뭐가 남을까요?

10월 4일 달력이 넘어간다
핸드로 커피를 드립하던 손이 미끄럽게 다가와
아직도 어제이던 달력을 살며시 넘겨준다

비로소 10월은 5일이자 토요일로 변경되었고
2주 전 토요일은 9월 21일임에 분명해졌다
그날 나는 커피 잔에 내린 산성비를 마셨으므로

할 일 없이 테이블에 앉아 있던 초코 케이크는
제 풀에 녹아 하얀 벽에 부딪히는 노래가 되고
나는 덩달아 달달한 노래를 곧잘 부르게 되었다
위장은 지글지글 타고 있는데
목구멍은 달고
혀끝도 달고

마치 기다린 것처럼 통속적인 노래가 구성지다
언제 우리가 만났던가 언제 우리가 헤어졌던가
사방으로 반사되어 튀어 오르는 노래가
삽시간에 지붕을 뚫고 사라진다
갑작스런 고요를 열고
당신은 글쓰기에 푹 빠져있고
강아지는 혼자서 목욕을 한다

출근길

출근길에
카페인을 먹지 않겠다던 꿈속의 언약을 기억했어
카페인보다 더 각성되어 잠들기 힘든 밤이었어
차창 밖으로
임신한 여인의 원피스가 얇은 바람에 윤곽을 그려내고
만취운전의 사고 뉴스를 해안도로에 앉아 흘려들으며
사진 한 장 속
에펠탑, 루브르, 오르세, 퐁피두, 몽마르뜨, 노트르담,
외로운 샹젤리제를 걷고 있는 기억 속을 탐색했어
닿을 수 없는 곳
춤추며 불타는 파리의 광경을 네로처럼 즐기려 했어
나는 없고 너만이 있는 거리가 거기 너무 많았기에
물 위 사바 아사나
낯선 세느 강에 영영 누운 오필리아처럼 떠다녔지
다시 걸을 수 있다는 생각은 대서양 어디쯤 떠다니지
한파 스민 출근길에
알함브라 궁전의 추억으로 스미는 뒷그림자를 쫓았어
파리에서 그라나다는 한 걸음도 안 되는 거리였어
푸른 신호등이 켜지자
너는 이스탄불로 떠나는 비행기 타고 숙면에 빠졌어

뒤에서 신경질적인 굉음이 내 정신을 번뜩 들게 했어
나는 잘 알고 있어야해
여긴 출근길이야 너를 끼고 좌회전 너를 둘러 우회전
발레복 입은 소녀가 그림 벽에서 사뿐히 걸어 나와도
나는 꼭 알고 있어야만해
지금 출근길 너의 방향을 내게로 돌릴 수 없는 아침
기나긴 하루의 모닝커피를 끊고 기다림을 안아야해
색다른 잔에 넘치는 카페인
세상의 중심에서 사랑을 외쳐도 너의 잠은 고요해
건들 수 없는 어깨가 나비처럼 아련히 흔들리고 있네

바다, 물빛 눈물

하얀 모래, 하얀 등대
에메랄드 투명한 눈동자의 바다
담쟁이 넝쿨 담벼락을 물끄러미 바라본다
돌담이 옹기종기 손잡고 늘어선 길
바다의 눈망울이 머리를 쓰다듬듯 길을 만지자
길의 끝에서 할머니가 환하게 웃고 서 있다
과자를 팔던 구멍가게는
할머니의 복주머니에서 오원짜리 하나 꺼내어
유년의 냄새를 평생 무료로 가져가라 했다
그 말에 눈물 한 방울 참지 못하고
가슴에 물빛 멍이 맺힌다

하얀 얼굴, 하얀 목소리
에메랄드 눈길만 일렁이는 바다
할머니 떠난 자리에 발끝으로 몰래 들어와
지상에서 다시 볼 수 없는 주름을 어루만지자
골목 어귀에서 한 잔 걸친 아빠가 노래를 부른다
무한 반복 파도처럼 밀려 오가는 새하얀 멜로디
이따금 얼큰히 취한 바다
걷잡을 수 없이 간밤의 취기를 싣고

어깨 맞댄 아빠의 노래를 따라 부르라 했다
그 말에 눈물 한 방울 애써 삼키며
가슴에 물빛 멍을 담는다

등대 얼굴

바람의 어깨를 딛고
걸어서
등대를 만지러 갔다

등대는 먼저 일어나 얼굴을 씻고
하얀 로션을 바르며
웃었다

그곳 사람들은 나란히 앉아
해안선을 바라보았다
손가락으로

홀로 앉은 모래 곁 벤치를 지우고
얼굴 하나 그리고
멈추고

사진에 찍히지 않는 바다색을
눈에 담는다
갈매기조차 그대로 사로잡힌

등대의 눈 그물에
사람들은 옹기종기 앉아 있다
고개를 가볍게 돌리기만 해도

앞모습 옆모습 뒷모습이 다 잡히는
전경과 후경이 다 펼쳐지는
신비감에 놀라며

시간을 지출하고
시간을 반납하며
다시 인파에 섞인 도시에서

눈동자에 묻은 등대
씻어도 떨어지지 않는 한 순간의
오랜 정적으로

바람의 어깨를 디디며 걷는다

작은 연인들

바다
실눈으로 지긋이 손 내미는
옥빛 바다
차라리 심연이 친숙할 것 같은
눈 없는 바다
다시는 이전 삶의 모래 틈 속으로
되돌아가고 싶지 않은
파도의 몸서리
숨죽인 흐느낌과
얼른 추스르는 마음과
부서져도 멍들지 않는 무릎으로
기어서 또 기어서
운명의 축이 멀리 풍차를 타고 돌아간다
놀랍도록 고요하여
먼 길을 밟아 지평선으로 날아가더라도
단 한 발짝
해안선을 벗어날 수 없는
웅크린 바다

장면이 바뀌자

파도가 밀려오는 시간차로
그 남자와 그 여자는 엇갈리고 만다
그가 스며들 수 없는 진흙 위에서는
단지 슬픔만이 질척이고
하얀 꿈 넘실대는 부정맥의 빈틈으로
푸른 숨 내쉬는 온통 그녀뿐인 바다

겉으로는 누구나처럼 내색 없지만
속으로는 추억만을 부둥켜안고 있다
이제 그 남자는 내면의 기력을 잃어
물에 젖은 솜처럼 툭툭 꺾이려고
꽃잎 하나 공중에 매달고 긴 입김을 부는 간절함
닿지도 않고 녹지도 않으며 허공을 장식하는
저 사뿐한 맵시에
그녀의 발걸음이 다가오는 상념
바다의 입술이 끌어당기는 맥박
창 넓은 카페에 저물도록 앉아 있다

Road 1132

그 길이 바뀌지 않은 한
추억도 바뀌지 않지

그 길이 바뀌어도
추억은 바뀌지 않네

함덕에서 화순을 향해
한라산을 왼쪽 어깨에 걸머지고

검푸른 쪽빛 바다 햇빛에 튀겨내는
너무 튀겨 검게 타버린 돌무덤

한 순간의 뜨거움으로 일생을 버티려는
검은 돌의 그저 아프기만 한 사랑

망연히 감은 속눈이 수평선을 녹이며
미동微動없는 부동不動의 애욕을 앓아

길은 굽이친 몸부림으로 은비늘 해안가에
대정, 안덕, 중문, 법환, 표선, 성산을 낳고

이름을 부르면 먼저 와서 파도치는
종달리, 하도리, 월정리, 김녕리

가슴 뚫고 심연의 얼굴 하나 붙드는
세화바다 등대의 눈길 따라

그곳에 앉아 있었네
바라는 마음 텅 빈 그곳

그러나 비워도 세상 가득 찬 바다
목젖에 넘어와 그만큼 흘러나간 눈물

그 길이 모래로 흩어진다 해도
늦가을 석양처럼 멈춰버린 저 아린 추억

노을 감상

수국 핀 길 창문 멀리 잠든 바다풍경은
연붉은 노을의 얼굴을 수채화로 둘러친
갸름한 정지와 고요

수평선 라인이 원근법으로 펼쳐지는
그 끝에서 말 한 마리가 불빛을 점화한다
섬에서 섬으로 길게 누운 노을

사파이어 잘게 썰어 흩뿌린 듯 반짝이는 물빛으로
파도는 미동도 없이 고개를 돌려 이쪽을 바라본다
아이의 발가락 같은 촉감이 시간의 액자에 담긴다

눈을 감는 바다의 숨소리
바다를 매만지는 하늘의 전령들
빗방울이 창틀의 순한 살에 닿는다

생의 테두리가 실루엣으로 떠오른다
물의 표면에서 발이 둥둥 떠 있는 환각이 몰려와
잠시, 지구는 회전을 잊기로 한다

어느 사연

당신
나를 버리지 마요
아픈 나를 버리지 마요
기력이 없어 의지만 하는 나를
이제 와서 홀로 가라 찬 눈짓하지 마요

당신만 바라보며
한 평생 살아왔기에
세상천지 갈 곳이 없네요
혼자 사는 사람이 이토록 많아진 세상인데
홀로 지탱할 그 무엇도 제겐 없네요

사랑하는 당신
이제 저는 늙고 아픕니다
마음은 첫 눈 마주쳤던 그 날과
그 자리에서 한 뼘도 움직이지 않았는데
몸은 이토록 먼 길 막다른 끝자락으로 밀려나

당신을 바라보는 눈에 힘이 빠져
사소한 일에서도 당신의 오해를 사고

빰이 닿고자 하면 당신의 눈이 방향을 트네요
다락의 거추장스러운 밀가루 포대 같으나
처마에 아무렇게나 묶인 메주 같으나

생생하던 젊은 날 바람나서 돌아다니셨을 때도
새벽 찬 서리 이고 서서 아무 말 안 했고요
아랫목 꺼트리지 않고 밥상 곱게 차렸어요
알면서 모르는 척 들으면 귀 파내고
당신만 있어주면 그걸로 좋았죠

당신
바보 같은 나를 버리지 마요
잘 아시다시피 저는 무능하답니다
저의 사회적 무능은 당신이 저를 데리고 사는
첫 번째 이유였잖아요

요즘 세상은 얼마나 달라졌는지 모르겠지만
당신 시절에는 처를 집 안에 두고
밖으로 잘 놀았잖아요
여자의 질투가 칠거지악이라고 친정에서 배워

가슴 밑 치솟는 기운이 오히려 두려웠어요

세월은 가고 또 가고
가을 단풍은 저리도 아름답네요
눈물 나는 세월은 제 눈물을 받아먹고 컸어요
그리고 당신 한 사람은 살고 싶은 대로 살았죠
세상의 누군가는 제멋대로 살 필요가 있죠

그런 사람이 당신이라 저는 행복해요
제 눈앞에서 거침없이 하고 싶은 것 다 하는
타고난 고유의 생명력을 활활 태우는
그런 당신을 가꾸며 지켜온 제가 자랑스러워요
제 소임을 다 한 것 같아 여한이 없어요

그러나 당신
더 이상 당신을 쓰다듬어 줄 수 없는 나를
아주 떠나려 하시네요
저는 일생의 눈물기둥이 무너지는 광경을 봅니다
저는 아프고 홀로 일어설 수 없는데

예전 살았던 동네의 그 월파선생
그 사람 그런 점쟁이 말 들으시면 안 되고요
견뎌보니 박복한 팔자도 그럭저럭 살만 하더군요
풍파 없는 조각배가 어디 있겠으며
잠 못 드는 밤 없는 인생이 어디 인생인가요?

당신
나를 버리지 마요
이제 와서 더 좋은 여자가 있다한들
당신도 지금 너무 늙었어요
이런 말 내뱉기 싫었지만 당신 정말 늙었거든요

대낮인데 눈꺼풀의 무거움을 새삼 느껴요
콧등에 살짝 앉는 바람은 강아지풀 같고요
통통배 소리 은은하게 들리던 고향집이 그립네요
아버지 생선 뼈 발라주시던 어머니가 저를 봅니다
파도 자락처럼 일렁일렁 손을 흔들고 있습니다

천라지망天羅地網

내가 아는 가장 예쁜 새는 밤마다 요가를 한다
천천히 팔다리 돌려 허공에 원을 그릴 때마다
얇은 실이 봄꽃처럼 피어나 베틀에 재잘거린다
밤사이 몇 겹의 투명 천이 검은 공기를 덮고
곤히 잠든 이불도 덮고 밤을 총총 두른다

예쁜 새는 아침에도 일찍 일어나 요가를 한다
길게 내뿜는 숨이 햇살을 감아 베틀에 걸면
빼곡한 실 가닥 겹겹에 굴절된 색감이 살아나
누에고치처럼 칭칭 감긴 체념을 알면서도 나는
꽃잎 화려한 저 시각적 실감을 떨칠 수 없다

태풍이 넘실거려도 투망投網은 미동조차 없고
예쁜 새는 요가 중독으로 팔다리가 쉴 새 없다
포슬눈처럼 몇 겹이 쌓여도 무게조차 없으니
모르는 사이 밤이 지고 꽃은 또 피고
절로 인생이 휘감기고 있다

슬픈 날의 독백

나는 아스팔트에서 자란 나무여서
어느 별에서 수입되어 왔는지도 모르는
반고체 상태의 생명체여서
햇살을 이고 잘 서질 못하지
잘 말하지도 못하고 내 속도 모르지
먼 하늘에 떠도는 생각이 났다가도 끊기고
열병과 동상을 번갈아 앓고 살지
검은 눈물이 발아래로 줄줄 흐르는 날에는
지나가는 사람 손을 한번 붙들려 하나
그럴 땐 내가 너무 딱딱하고
아주 가끔 누군가 나에게 기댈 땐
갑자기 물렁해져서 휘청거리지
어느 여름 날 열량 낭비가 발생한 틈으로
냄새 풍기는 바닥이 숨이 차서 푹 꺼지고
연쇄로 무너지는 상상
꽃잎이 산화하는 지구

나는 아스팔트 위에 서 있는 나무
덩달아 끝 모를 바닥으로 떨어지고 있네
허우적거리는 발을 주체할 그 무엇도 없이
이제 돌아갈 머나먼 허공만 올려본다

긴 사랑

사랑의 열꽃이 삽시간에 꽃지짐처럼 퍼져
자글자글 입안에 타닥타닥 속살에 고루 다 익어
어디에 닿든 여지없이 데는 지경에 이르자
그녀는 몸을 움츠리며 상자 속으로 문을 닫지요

사랑의 열꽃은 지상에 결코 피어날 수 없는
어느새 타오르며 사방으로 자욱이 분사된 향기
어딘지 모르는 몸 속 깊은 자극에서 점화되어
그녀가 숨은 책갈피에 속속들이 스며들고자

한 시간에 두 차례 내린 겨울비는 눈을 깔고 달렸지
돌아보지 않는 뒷모습의 꽁무니를 매번 쫓는 습관
그녀의 단층 기와집을 밤하늘 지치도록 우두커니
한 생애가 다 흐른 늙은 별의 한숨소리를 듣네

인근 작은 바다는 건강공원으로 조성된 활기
주로 사람 하나에 길고양이 하나 짝을 이루고
온갖 미용에 사람보다 더 자존감 높은 동물들
소리 높여 즐거이 합창하는 환청에 뒤덮이고

사랑의 열꽃은 끝내 숯덩이가 될 계획이었나요?
누군가가 세워둔 계획은 항상 넋을 뺏는 이벤트
뜨거운 향연, 불사르는 생명, 타거나 터지거나
그녀는 아직도 태아의 자세로 문을 닫고 있지요

먼 사랑

사랑은
홀로 남겨지기 위한 전주곡
애절한 눈길을 무심히 비껴가는
감미로운 선율 뒤의
사라진 멜로디

사랑은
쉽게 등질 수 없어서
안타까운 갈망의 손길이면서도
꽃씨처럼 날아와 파묻히는
날렵한 생명력

사랑은
아픔보다 더한 견딤
부서진 영혼의 조각을 맞추어
추억으로 깊은 허기를 채워야만 하는
텅 빈 기다림

그의 생이 남긴 한 점 그림은
누군가의 먼발치에서

망연한 허공 위에 손 휘젓는
들녘의 아이

그가 그녀를 이해할 수 없는 날
허기지는 시간이 다가오면 발이 더 굳어
아무것도 소유하지 않아도 좋으니
빈 흔적만이라도 가까이

만나면 말없이
지나가요
그녀가 하고 싶은 말이었을까
그가 듣고 싶었던 말이었을까
새벽 다섯 시에 잠든
꿈의 끝자락에서
마음을 흔드는

당신을 생각하지 않고서는
앞서 가는 시간을 살아낼 도리가 없네요
앞선 시간에 당신이 보이지 않아도

그녀를 둘러싼 대기처럼 당신이 빽빽하기에
당신이 그의 가슴에 머무는 시간에는
한 빗금 빈틈 또한 없습니다

그녀는 가을하늘처럼 당신을 그리워하다가
철 지난 짙은 푸름으로 선연히 멍들고 맙니다

끝 사랑

속살이 데일까 두려워
1,051,200분을 도망 다녔지요
열기가 극에 달한 마지막 40,320분
까맣고 새까맣던 숯덩이가
극과 극의 마지노선을 넘어서자
하얗게 새하얗게 얼굴을 바꾸고
빈 주사위가 구르는 카지노 회전판처럼
시간여행자의 몽상 시계처럼
확률 제로의 상자를 열고
결코 보이지 않았을 미래의 빗장을 풀고
하얀 눈이 느닷없이 거꾸로 올라가요
더 이상 도망칠 곳 이 세상에 없어서
멈춰 선 86,400초
밤을 하얗게 지새운 흔적을 지우려
아침을 건너뛰고
비를 맞았어요
비속으로
비를 뚫고
비를 저으며
하얀 얼굴이 또각또각 환청으로

발소리를 거대한 성당 돔으로 뿜어내었죠
기차역 대합실에서 가쁜 숨을 고르며
방금 떠난 기차의 기적소리를 마저 들었죠
돔으로 빨려 들어간 기차는 사방으로 떠나고
여운의 기적만이 남아 맴돌았어요
기적은 원형의 하늘을 감싼 거대 돔 안에
속속들이 골고루 퍼져 달라붙더니
잠시 후 비처럼 쏟아졌어요
눈앞에 비의 속도보다 훨씬 더 천천히
아주 천천히 나무늘보의 낮잠처럼
북극의 유리창에 붙은 색종이처럼
일리야 레핀의 그림처럼
위로가 내린 땅
촉촉이 젖은 땅
은은한 여운에 실려 떠나간
1초 전까지 팔꿈치를 붙들고 있던
그러다 1초 뒤 모르는 기차에 실려 떠나간
아무 예고 없이 눈물방울을 집는 손가락

그 다음 감각

상상으로만 당신을 안으면
실제 시간만큼 실감의 지속이 어렵고
현실 속에서 당신을 안게 된다면
상상에 들어가 현실의 시간을 복귀할 수 없다
문제가 발생하는 지점은 언제나 다음 순간
이 시간 이후의 프로세스에서
이 시간에 구멍이 숭숭하다
도무지 자력으로 메워지지 않아서
현실의 실감을 저축처럼 모아두기 위해
버려지고 잊히는 것들에 대한 두려움을 껴입고
곧 현관문을 두드릴 겨울을 마중하러 간다
당신의 봄옷 안주머니에 겨울이 꽂혀 있었다
옷을 벗을 때마다 제 발로 걸어 나와
자주 열기를 식히곤 했던
12월의 얼굴이 마스크 팩을 붙이고
보습의 시간 동안 기다림에 지치도록 세워 두고
문밖으로 나가지도 못하게 목에 끈을 달았다
상상 속에서만 가능한 당신의 사랑을
열심히 상상하기 위해 수차례 빙글빙글 돌면서
끈 감긴 3천 년 전의 미라가 되었지만

끝끝내 실제의 시간으로 되돌아갈 수 없었다
속삭임을 좋아하여 속삭이기에만 매달린
단순한 버릇을 땅에 묻는다
당신이 길러버린 버릇
현실 속에서 당신을 안을 수 없을지라도
다음 순간 상상 속의 결과는 마찬가지
이래저래 상상으로만 볼 수밖에 없는
암울한 미래가 주렁주렁 열리고
혼자 사는 사람 많아진 시대의 추세에 발맞추어
혼자 잠드는 당신의 창을 두드리기도 하는데
골목길의 가로등은 어릴 때처럼 그리도 무심하고
먼 길 떠난 후로 더 이상 나를 찾지 않았다
일생에 황량한 바람이 불었다
당신은 가로등이 되어줄 수 없어서
내가 왜 멀뚱한 가로등이냐고 짜증을 내야 해서
의심 없는 관계의 지속에 대해 의심하게 되고
거리에 나앉아도 그리 불행한 시대는 아니고
온종일 인생의 공평함을 집계하고 있다

남은 잔상

사랑은
와인을 잔에 따르듯 서서히
약간의 기포와 넘침의 우려를 풍기며
차오르는 것인가

하데스에게 납치된 페르세포네의 눈물이
레테 강의 물결로 한 겹 덮이며
에게 해의 낯선 진주처럼
찰랑거리고 있네

기억만이 남게 되는 사랑은
생을 적시는 가슴의 의미를 간직하지 못하여
그토록 잊히고 잊혔어도
잊지 못한 의미만을 간직하며
거친 여행자의 발걸음으로 찍혀 있다

당신은 모든 일을 직접 겪어봐야 안다면서
다시 잊히길 두려워하지 않았었다
몇 번을 거쳐도 다시 잊어도
계속 궁금하기 짝이 없는

함께 마시는 와인 맛

함께 걷는 오솔길

비밀의 화원

절벽 길

5분의 9박자로 달리는 A의 심경

초당 440번의 떨림으로 살아야 하는 숙명을 거부할래.
그럼, 사람들이 너를 못 알아 볼 텐데?
선생님 말씀대로 우리 엄마는 우리 엄마가 아니래.
그건, 성형수술 해도 안 바뀌는 거 잘 알잖니?
사람들은 집회를 열고 구호를 외치고 선동에 불탈 때
언제나 나를 함께 두드리며 활활 태웠어.
그래, 너는 날렵한 몸매를 지나치게 자랑했어.
팔 하나 뽑아 버리면 달리는 데 균형을 못 잡겠지?
엄마가 가짜라고 그런 짓을 하다니, 하긴 이해된다만.
맨 처음 기억은 술병이 제멋대로 날아다닌 불빛이었어.
알바로 전전한 호랑이는 마실 커피가 없다며 절망했고
돌아갈 집이 없는 토끼는 공중화장실에서 귀를 잘랐어.
너는, 너무 어려서 아무 것도 몰랐잖아!
이제 숙명 얘길 마저 해야겠어.
아름다운 여자가 나한테 갑자기 사랑한다고 말했을 때
결심을 굳혔어, 팔을 뽑아 새롭게 살아 보려고.
그럼, 사람들이 너를 못 알아 볼 텐데?
그녀는 울먹였지만 나의 떨림은 초당 432번으로 전환
한 걸음 뒤로 두 걸음 뒤로 꽃잎처럼 떨어지고 있었어.
그래, 너는 꽃을 피우는 숲이 되었구나.

감각은 달라져도 슬픔은 그대로야.
슬픔이 제멋대로 날아다니며 맨 처음 기억을 바꾼다.
선생님이 말씀하셨듯이 우리 엄마가 맞아.
너를 알아볼 수는 없지만 세상의 절실함이 뭔지 알겠다.
이제, 나는 누구와도 어울릴 수 없어.
날이 갈수록 나조차 내가 누구였는지 잊게 되는 거야.
괜찮아, 그녀가 가끔 너를 떠올리면 그때 넌 살아있지.
호랑이도 엄마를 만나 저녁 식탁에서 커피를 마실까?
불쌍한 토끼는 귀를 잃어 내 모습을 쳐다보지 못한다네.
이봐, 꽃잎이 떨어지듯 강물은 흐른단 말이지.
낯선 거리에도 사람들은 끊임없이 살아가고
전단지 돌리던 뒷골목 가스등도 LED로 바뀌잖아.
이 숲에 신이 존재한다면 그건 바로 시간이야.
그녀는 상심을 딛고 멋진 피아니스트가 되었다.
그 소식을 들을 A는 피아노 건반 하나에 영혼을 팔았다.
그녀의 손가락이 닿을 때 A는 전율했다.
눈물에 젖어 그 누구도 밟지 않은 박자를 타고 뒹굴었다.
세상에 단 하나뿐인 노래가 흐르고 흘렀다.

머나먼 카파도키아

천사 가브리엘의 음성이
침묵으로 들리고 있는 눈길을 걸어
잠들 수 없는 밤을 회상하고 있었습니다
나의 밤은 당신의 새벽이어서
하얗게 동이 터는 지평선에 손을 올려놓고
기꺼이 고개를 숙입니다
눈 덮인 이국의 풍경
지상의 신비조차
동굴 속에서도 집을 짓고
사랑하는 사람의 어깨를 만지며 잠드는데
당신의 새벽은 어디가 입구일까요
눈 내리지 않아도 하얀 마을
바위들이 서로 말려 구르다 일시에 잠들어
이불처럼 눈을 덮고 있네요
침묵에 귀가 가득 차서
이토록 고요하고 평화로운데
눈물 한 방울 눈길에 떨어져 구멍이 납니다
새하얀 눈이 타서 연기로 피어오르고
검은 밤을 가르는 유성이 되는군요
눈 감고 날아가

당신의 새벽을 두드리는
저린 마음의 끝자락이 먼저 닿으려 합니다
가브리엘은 하늘의 왼편 제자리에서
입김으로 등을 가볍게 떠미네요

아침에
햇살 부서지는
당신은 강가를 걷고 있습니다
구름 위에 살포시 앉아 당신을 바라봅니다
천사의 은총입니다

기다리는 마음

촛불을 밝히고
볼록한 거울 속으로 들어갑니다
가늘게 뜬 눈으로도
마음의 안쪽 질감이 훤히 보일 수 있도록
당신에게 무작정 끌려가는
비밀의 유전자를 펼쳐볼 수 있도록
신발을 벗고
가지런히 모은 마음의 실핏줄로
당신이 떠난 바다를 동여매고 있습니다
거울 속에서
상자처럼 포획된 몇 조각 바다는
어쩐지 쉬이 저의 손에 끌려옵니다
저는 하루 종일 촘촘한 매듭을 엮으며
당신의 바다를 처마에 나눠 매달고
끼니때마다 국을 끓입니다
그리움은 짭짤합니다
눈물 맛입니다
갈매기도 울고 가는
당신의 바다를 하염없이 마시며
볼록 거울 밖으로 불룩 드러난 저의 마음은

어디를 보아도 완연한 바다색이고
속내를 다 드러냈지만
거울 밖의 당신은
이쪽으로 고개를 돌릴 줄 모릅니다
저는 두 손 모아 촛불을 듭니다
젖어도 결코 꺼지지 않는
당신의 노래를 들으며
오늘도 처마에 바다 한 조각 매답니다
내일을 살아갈 양식입니다

우산 없는 거리

일기예보가 있었습니다
초속 20미터의 바람이 몰려온다 했습니다
하루 동안 100미리의 비가 쏟아질지도 모릅니다
아침이 솥밥처럼 익어가는 시간이면
사람들은 비바람에 아랑곳없이 거리로 나섭니다
날마다 그만큼 가야할 길이 주어지기 때문에
어떤 경고는 곧잘 흘리거나 잊어버립니다

초속 20미터가 어느 정도인지 둔감해서
하루 100미리도 먼 마을 소식 같아서
무심결에 거리로 디딘 첫발부터 휘청거립니다
한 걸음 뒤로 물렸으나 그대로 마냥 멈출 수 없는
촘촘한 간격으로 줄선 일과가 급박해지는
사람 세상의 대열에 들어가야 해서
작심하고 정면으로 뛥니다

펼쳐든 우산을 머리 닿게 이고
안쪽 살 가까이 두 손으로 붙들어도
발보다 더 가눌 수 없이 방향 못 잡고 뒤집어져
시야를 뒤덮은 무수한 빗방울을 뚫고 가야 합니다

비바람은 전후좌우 가리지 않고 휘돌아
나뒹구는 우산 잔해들을 쓸고 갑니다
사람들은 외투 속에 목을 감춥니다

잘 맞지 않던 추측성 예보가 오늘따라 잘 맞는군요
강풍은 복서처럼 옆구리와 복부와 안면을 강타했고
샤워실 센 물줄기에 꼼짝없이 서 있는 듯 했습니다
공항에 비행기가 무사히 착륙할 수 있을까요?
당신은 이런 궂은 날을 모르셔야만 합니다
제가 두 사람의 몫을 온 몸으로 맞으며
부러진 우산을 지팡이 삼고 있으니까요

| 시인의 산문 |

메두사는 창날 포크로 키슈를 먹네

손현석(시인, 동서대 영화과 교수)

길고 가늘고 얇고 뾰족하고 날카롭고 단단하고 예리하게 시퍼런 색감이 감도는 고풍의 칼날에 간담이 서늘하다. 눈썹에 닿을 정도로 가까이 붙어 무한대 모양을 그리며 프로펠러처럼 빙글빙글 돌고 있다. 테이블에 앉았을 때부터 길을 잘못 든 것 같은 레스토랑에서 앞으로 발생할 그 무엇도 모른 채 빈혈의 메뉴를 초점 빠진 눈으로 바라본다. 그러다 눈을 부비며 포기한 듯 식사 주문을 어쩔 수 없이 동행한 여자에게 맡긴다. 이런 레스토랑에서는 동행을 먼저 제안한 남자가 친절한 매너를 보여야 주어진 역할을 다하는 것이겠지만, 갑자기 딱히 원인도 없이 울퉁불퉁해지는 신경상태의 변화가 몹시 당혹스러워 무례한 제안을 하지 않을 수도 없다. 눈을 동그랗게 뜨며 살짝 불쾌해진 여자가 자리에서 수직으로 일어나 어지러운 칼날의 반대편으로 돌아가더니 칼자루를 손에 쥐려는 몸동작을 취한다. 초점 흔들리는 그 모습에 심장이 떨리며 마치 여자가 칼자루를 힘껏 쥐고 앞으로 뻗을 것 같은 착각이 든다. 동시에 여자의 오른쪽 이마의 골이 깊어져 앞머리의 밸런스가 무너지더니 잠깐 사이에 일그러진 인상을 별달리 감추지도 못한다. 여자는 이내 특유의 발목 세운 꼿꼿함으로 방향을 잡더니 박자 하나 틀리지 않게 걸어서 맞은편 벽에 걸린 메두사의 머리 사진 앞으로 간다. 다음 순간 강한 자성에 이끌리듯 망설임 없이 정면으로 메두사의 눈과 시선을 교환하고 있다. 멈춰 서 있는 여자의 뒷모습에서 기운 빠진 정적이 흐르는가 싶더니 돌연 재빨리 돌아서서는 체조선수처럼 중심 하나 흩트리지 않고 메뉴판을 든 웨이트리스 앞으로 다가가 손가락으로 음식 하나를 딱 집어낸다. 여자는 체리와 산딸기와 포도와 블루베리와 익힌 감자가 버무려진 키슈 B 타입 사진에 손가락과 몸이 고정된 상태로 서 있다. 그리고는 고개만을 반시계 방향으로 움직여 레스토랑에 자리한 사람들을 둘러본다. 아무도 여자의 동작에 신경 쓰지 않는다. 자리에 앉자 주문했던 키슈가 뜨끈한 열기를 뿜으며 이름 모르는 동물의 피 같은 색감으로 테이블에 놓인다. 여자는 정면으로 얼굴을 고정시키더니 눈동자가 이글거리기 시작한다. 이제부턴 다른 곳으로 고개를 돌리지 않는다. 여자의 표정이 칼자루를 잡기 이전으로 얼른 돌아간다. 앞에 놓인 두툼한 키슈를 먹기 좋은 모양새로 자른다. 손목 스냅을 활용하여 중앙 점이 교차되도록 나이프를 경쾌하게 긋는다. 키슈는 케이크처럼 삼각형 몇 조각으로 갈라졌다. 여자가 한 조각을 작은 접시에 덜어 앞으로 건네준다. 그러자 조금 전 눈앞에서 착각 같았던 칼이 파르르 미세한 율동을 다시 일으키기 시작한다. 그 율동이 삽시간에 거세진다. 직각으로 회전하여 테이블에 내리꽂힐 것처럼 수직으로 자체 발광을 뽐내며 치솟는가 싶더니 칼날이 세 개로 짝 소리 나게 펼쳐진다. 순식간에 커다란 삼지창 포크로 바뀌었다. 바로 그때 붉은 립스틱이 번진 여자의 입술 꼬리가 옆으로 찢기며 머리카락이 제각각 기이한 생명체로 살아난 듯 꿈틀거린다. 그 모습을 또한 레스토랑 안에서는 누구도 알아볼 수 없다. 어느 사이엔가 레스토랑의 내벽을 감싸며 천정으로 흘러가 바닥으로 비처럼 쏟아지는 어떤 노래 때문에 사람들이 몽환 속으로 빨려들고 있었다. 노래 속으로 용해액처럼 흡수되고 있었으므로 사람들은 멜로디에 젖을수록 자신들의 동공이 저도 모르게 허물어진다. 포크와 나이프를 든 상태로 정신조차 녹아내리려 한다. 물에 젖은 이불처럼 무겁고 눅눅하게 누르는 몽롱한 비현실감이 세상을 정지시킨 듯하다. 칼날은 고요히 수평으로 내려와 제 위치를 잡았다. 속눈썹 바로 앞에서 아무 소리도 없이 무한대 타원 모양을 그리며 두 대의 칼날 선풍기처럼 돌아간다. 그 날렵한 칼날의 회전 틈새로 메두사의 질겅거리는 콜타르 같은 미소가 슬라이드 영상 마냥 점멸하며 단속적으로 새어나오고 있다. 같은 노래가 계속 반복되고 있는 홀에서는 이미 그 우수에 찬 멜로디가 몇 겹 중첩으로 허공을 가려 조금 전까지 식사를 즐기던 사람들의 눈에서는 생기가 깨끗이 사라져버리고 바깥으로 맺히는 초점은 그 누구에게도 없다. 그러니 이제 메두사의 눈과 정면의 허공 한 지점에서 마주칠 그곳 인간의 눈이라고는 맞은편에 앉아 단기 빈혈 증세의 발생이란 무엇인가라는 사소한 의문에 사로잡힌 단 한 명뿐인 것을 당사자는 너무도 잘 안다. 심장이 바닥으로 떨어지는 기분이었으나 평소 햇빛에 대한 눈부심 증세가 안구를 괴롭혀왔던 덕분에 양복 안주머니에 짙은 검정 선글라스가 꽂혀 있다는 사실을 본능적이고도 생존 감각적으로 알아챘다. 지푸라기라도 잡듯 그 덕에 메두사의 머리카락이 꿈틀거리기 시작함과 동시에 황야의 총잡이가 결투 때 총을 뽑듯이 번개같이 선글라스를 꺼내 들고 얼굴에 장착할 수 있었다. 만전을 기하기 위해 시선을 정면에서 왼편으로 약간 틀어 오른쪽 광대뼈 쪽에 메두사의 시선이 닿도록 위치를 조준하고 포커스가 약간 나간 렌즈를 통한 것처럼 그러한 측면의 일그러짐으로 이글이글 타오르는 메두사의 눈을 초긴장 집중하여 주시한다. 머리카락 수십 가닥이 매끈하게 꼬여 탄생한 뱀 한 마리가 메두사의 머리로부터 정면으로 미끈하게 빠져나와 칼끝의 회전 아래에서 두 갈래의 혀를 날름거린다. 선글라스에 가려진 시선일지라도 행여 메두사의 꼼짝 않고 노려보는 저 날카로운 눈의 초점과 마주치지 않으려 안간힘을 쓰고 있다. 도대체 이 상황은 무엇일까? 인생에서 발생할 수 있는 갖가지 희귀한 경험의 변수 중에 이것은 도대체 몇 번째의 순위에 해당하는 스토리일까? 자칫 눈동자가 조금이라도 바깥쪽으로 흔들려 시선이 메두사의 것에 조금이라도 부딪혀 닿는다면 그 즉시 인생이 날아갈 것이다. 아주 짧은 순간에 외마디 신음도 내지 못할 그 시간의 얇디얇은 간격을 경계로 인생은 이 세상으로부터 어디론가 날아가 이 세상이 아닌 어딘가에서 뒹굴 것이다. 그런 생각이 번뜩 스치는 동시에 저 바깥의 거대한 대기를 한껏 품고 건너와 홀을 가득 채우는 목소리 하나가 머리에 가득 환청처럼 들려온다. 페르세우스, 페르세우스야! 너는 비겁하게 내가 잠든 틈을 타서 교묘하게 방패로 눈을 가리고서는 내 목을 잘랐어. 너와는 일면식도 없었고 너의 주변에 원한을 살 일이라고는 전혀 한 적이 없었는데 너는 단지 일신의 안위를 지키기 위해 쓸데없이 호언으로 지껄인 너의 알량한 헛소리를 실행한답시고 가련한 내 목을 잘라 꼼짝할 수 없는 자루에 가두고는 투명으로 덮는 투구와 날개 달린 신발을 이용하여 도둑고양이처럼 잽싸게 달아났어. 불사의 언니들이 황금날개를 달고 지금까지 지구 곳곳은 물론 너의 별자리조차 샅샅이 뒤지고 다녔지만 투명으로 꼭꼭 숨은 너를 찾아낼 수가 없었어. 그런데 이렇게 우연히도 저 멍청한 안드로메다가 지난주에 나를 불러 깨우더니 그 바람에 내가 간신히 기력을 모아 안간힘으로 뇌파를 발산하여 오늘 마침 내 눈 뜬 나를 똑바로 쳐다보게끔 유도할 수 있었어. 너는 내 육신의 목을 잘랐으니 보통 사람들처럼 그 즉시 완전히 죽은 줄 알았겠지만 불사의 자매를 가진 내 영혼의 에너지는 한 줌으로 응축되어 목 떨어진 그 자리에 남았거든. 눈이 보이지 않는 영혼 덩어리는 밤이 지나 새벽의 첫 태양빛에 흩어지게 되어 있었으나 인간들이 나를 숭배하여 내 모습과 똑같이 돌로 빚어둔 나의 두상에 들러붙어 모조 얼굴이지만 그래도 그 덕에 에너지가 흩어지지 않고 가까스로 영혼의 생존을 이어나갈 수 있었지. 비바람 몰아치는 황량한 들판보다 은밀하고 안전한 곳에서 연명하기 위해 비잔틴의 권력자 유스티니아누스의 꿈속으로 들어가 내 머리 조각을 너의 도시로 가져가 숨기라고 속삭였어. 내 목소리는 흉측하게 일그러져 버린 얼굴과는 달리 아테나에게 저주받기 이전과 똑같아서 무척 황홀하고 섹시하거든. 유스티니아누스는 나에게 홀려서 거의 혼몽한 광기 상태로 세간에 명령을 내려 무너진 아르테미스 신전에 뒹굴던 내 머리 조각을 지하저수조로 옮겨 거꾸로 처박아 두었어. 오히려 그게 훨씬 안전했던 거야. 내가 지금까지 생존을 유지하기에는 그보다 더 좋은 은신처가 없었지. 너의 저 멍청한 안드로메다가 놀랍게도 지난주에 제 발로 지하저수조에 찾아와서는 내 얼굴에 손을 갖다 대었지 뭐야. 두 팔로 내 얼굴을 감싸 안기까지 했어. 그때 나는 너의 체취가 멍청이한테서 흘러나오고 있다는 사실을 금방 알아챘지. 잘린 내 머리를 자루에 집어넣었을 때 자다 날벼락이어서 목 떨어져 혼몽해지려는 후각으로도 너의 체취를 기억하기 위해 얼마나 애썼는지 몰라. 그토록 오랜 세월 복수의 칼날을 갈고 있던 나에게 정확한 타깃이 드디어 나타난 거야. 온 몸이 부르르 떨릴 정도로 머리카락이 꿈틀대며 기운이 솟구치더니 안면이 불끈거리며 내 붉은 안구 쪽으로 힘이 점점 몰려오기 시작했어. 물론 돌에 새

겨진 눈은 겉보기에 미동도 없었겠지만 나는 마침내 속눈을 뜨는 데 성공하고 말았단 말이지. 얼마나 기다리던 순간이었는지 몰라. 더구나 그와 동시에 인간들이 지금까지 만들어 둔 전 지구상의 메두사 조각과 그림과 사진들도 일제히 속눈을 떠 버렸으니 너의 운명은 그야말로 초읽기에 들어가버린 셈이지 않겠니? 얼마나 짜릿한 쾌감이 들던지 이 멍청한 안드로메다에게 키스를 할 뻔 했지 뭐야. 그랬으면 곧장 그 자리에서 돌로 변해 죽어버렸겠지. 그러면 안 되지. 일단 언제 어디서건 내 얼굴에 이끌리도록 주문을 걸어놓고, 예레바탄 사라이 예레바탄 사라이, 너와 함께 나타나길 기다려야 했어. 너와 마주치게 된다면 안드로메다의 혼을 잠시 빼서 내 얼굴이 놓인 자리에 슬쩍 옮겨다 두고 몸을 빌릴 계획이었거든. 지금 딱 모든 계획이 실현되었어. 그토록 오래 참고 기다려왔는데 일이 갑자기 술술 풀리네. 너는 이제 곧 죽는다. 영원히 사라지는 거야. 내 눈을 바라봐, 원한에 불타는 내 눈을! 어서 비겁하게 피하지 말고 페르세우스, 페르세우스야! 레스토랑 내부에 메두사 음성의 잔향이 가득 차서 귀고막이 심히 안으로 밀리며 동공마저 앞뒤로 흔들리는 현기증을 유발한다. 다른 게 문제가 아니라 환청의 압력이 유발시키는 고통 때문에 10초를 못 버틸 것 같다는 생각이 든다. 차라리 저 메두사의 눈이라도 어떻게 생겨 먹었는지 똑똑히 한번 보고 돌로 굳어져버리는 편이 나을 것 같다. 바로 그 순간 어느 틈에 다가와 왼쪽 어깨 가까이로 바람을 일으키며 날렵하게 붙어서는 누군가의 인기척을 느낀다. 선글라스에 가려진 눈이 다행히도 왼편 바깥으로 안구를 움직여 시선을 위로 들어 올리는 것에는 불편함이 없었기에 송곳처럼 날 서게 엄습한 긴장감 속에서도 갑자기 누가 나타난 것인지 호기심에 불타오르며 앉은 위치에서 위쪽으로 조심스럽게 시선을 움직여 본다. 하얀 실크 원피스 끝자락이 대리석보다 미끈한 허벅지 중간쯤에서 미풍에 흩날리듯 살짝 나풀거리며 말끔하게 다가선 느낌을 어깨로 받으며 눈을 치켜뜬다. 자잘한 보석 장식으로 수놓인 어깨 끈에 긴 팔이 맨살로 다 드러난 아름다운 자태의 여인이 은빛 쟁반에 반쯤 물 담긴 컵을 받쳐 들고 그림처럼 멈춘 듯 고른 호흡으로 물끄러미 내려다보고 있다. 언제 어디에서 몸을 감추고 숨어 있다가 어느 틈에 어떻게 어떤 동선으로 걸어서 다가왔는지 전혀 감지할 수 없는 고요한 정지상태가 레스토랑의 공간에 짙은 정적을 칠하고 있다. 눈동자를 있는 힘껏 다 들어 올려 마침내 옆에 바싹 다가 선 묘령의 여인과 시선이 마주치자 그녀의 까만 눈썹이 변화를 간파하기 힘든 정도의 선에서 위쪽으로 약간 흔들렸다가 곧바로 제자리로 돌아온다. 그녀가 들고 있는 쟁반에 물이 담긴 컵이 가장 먼저 보인다. 물을 봐서 그런지 갑자기 감당할 수 없는 갈증이 식도를 뚫고 목구멍으로 치솟는데 마시게 해 달라고 차마 말이 떨어지지 않는다. 이런 판국에 갈증이라니, 사람은 죽기 직전에도 몸의 욕구를 풀고 싶어 하는 자체적인 아이러니인가 보다. 극도의 긴장 속에서 눌려 있던 물질적 육신의 본능이 걷잡을 수 없이 솟구치는 것이다. 말을 할 수도 눈을 뗄 수도 없는 얼굴과 목의 빳빳함이 마치 여인을 향해 절박한 애원을 표현하는 자세처럼 부자연스럽게 드러나고 있다. 여인은 검지를 입술에 수직으로 갖다 대며 눈썹을 잠자리 날개보다 더 가볍게 한 번 더 움직이더니 눈앞에서 날카롭게 회전하고 있는 칼날을 전혀 의식하지 않고 허리를 거의 직각으로 숙이며 서로의 얼굴 사이가 한 뼘 정도로 되도록 가까이 다가선다. 반갑습니다, 손님. 저는 이 레스토랑의 웨이트리스 다나에라고 합니다. 저희 레스토랑에서는 닉네임을 씁니다. 저 건너 보이는 지배인은 클라리넷이라 불러요. 목소리가 은은하게 하이 톤이거든요. 옆 테이블의 동료 웨이터는 카사블랑카입니다. 잉그리드 버그만을 평생 좋아한대요. 우리 사장님은 포세이돈입니다. 성질이 급하고 저돌적인데 스스로 잘 아는지 그렇게 불러 달래요. 저 벽에 걸린 메두사 머리 사진은 우리 사장님이 너무 좋다고 걸어둔 겁니다. 전생에 사랑했대나 어쨌대나. 정말이지 그로테스크한 취향이시죠. 저는 어릴 때 기억나는 가장 첫 꿈에서 강 너머 멀리 누군가가 저를 향해 다나에라고 메아리처럼 부르는데 아무 까닭도 없이 얼마나 눈물이 흐르던지 뺨을 꼬집을 만큼 생생한 꿈이어서 잊을 수가 없답니다. 그러니 저는 현생의 첫 걸음부터 제 마음 속에서는 다나에였습니다. 닉네임으로라도 다나에라 불릴 수 있어서 저는 이 레스토랑 생활이 너무나 행복합니다. 그리고 저는 손님을 어쩌면 이 레스토랑에서 근무하기 이전부터 기다리고 있었던 것 같습니다. 이런 마음 역시 까닭을 알 수 없습니다. 인생은 그저 날마다 평범한 시간의 연속 같으면서도 어느 시점에서 갑자기 회오리바람에 휘말리는 사막처럼 빈손을 탁 털어야 하는 미스터리한 것이죠. 손님이 여기 들어오실 때 저는 심연의 암흑이 열리는 느낌으로 저의 평범한 날들은 이제 모두 다 끝났다고 자각했습니다. 이런 마음이 저에게 왜 분화구처럼 솟구치는지 머리로는 도저히 근거를 찾을 수가 없지만 심장이 두 배 세 배 빨리 뛰며 손님을 어서 구하라고 말을 하고 있어요. 그래서 저는 지금 저 메두사의 칼끝에 제 목을 흔쾌히 갖다 댈 수 있을 겁니다. 방금 제가 맞은편 저 여자가 메두사라는 사실을 알게 되었군요. 아아, 그래요, 알게 되었어요. 페르세우스! 제가 목에 힘을 주어 칼날을 목 안으로 찔러 넣으면 칼의 회전이 잠시 멈춘 그 순간을 놓치지 말고 컵에 든 물을 저 눈빛 시뻘건 메두사에게 뿌리세요. 메두사에게 이 물은 물이 아닙니다. 눈알이 빠져 타버릴 겁니다. 그 사이 저는 벽에 걸린 저 사진을 찢어 불태우겠습니다. 칼이 목에 찔려도 숨을 참고 얼마간은 버틸 수 있거든요. 하지만 칼은 금세 페르세우스 너의 목으로 향할 거야. 사랑한다, 페르세우스야. 이제 더 이상 지체할 시간이 없어! 다나에는 프로펠러보다 더 빨리 돌고 있는 칼끝을 겨냥하여 측면으로 온 몸의 힘을 밀어 자신의 목을 깊이 찔렀다. 정확히 동맥이 지나가는 부위로 칼날이 푹 박혔다. 칼날의 회전이 일시에 톱니바퀴가 철제 봉에 걸린 듯 멈추었다. 다나에의 눈빛은 어서 메두사에게 물을 뿌리라고 다급한 말을 머금는 듯 간절해졌다. 호흡을 깨물고 칼이 빠져나가지 못하도록 목을 비트는 다나에의 비장

한 사랑이 담긴 눈에서 한 줄기 눈물이 흐르고 있었다. 잔을 들어야 한다. 곧바로 물을 던져야 한다. 그런데 이토록 다급한 순간 도대체 어찌된 일일까? 뜻 모를 깊고 깊은 슬픔이 폭포수처럼 목을 차고 넘쳐온다. 간신히 잔을 집어 들긴 했지만 슬픔의 격정에 빠진 채 손목을 움직일 수가 없다. 원천적인 슬픔이라 일컬을 수 있는 감정이 바로 지금 이런 느낌인가 보다. 그런데 거의 동시적으로 잠시 전 온 몸을 쥐어짜던 갈증이 북받치는 슬픔과 뒤엉켜 뒤따라 치솟아 터져 오른다. 단기 기억상실증처럼 레스토랑 안에서의 기억이 눈깜박하며 하얗게 지워지더니 당연한 듯 모든 것을 잊은 채 갈증에만 정신이 팔린다. 아무 것도 보이지 않고 목에서 불이 타는 것 같은 극심한 증세뿐이다. 기억이 어디로 사라졌는지 살고자 하는 감각만이 작동하고 있다. 허겁지겁 손가락에 힘이 쏠리며 들고 있던 컵의 물을 그냥 벌컥벌컥 마셔버리고 만다. 식도를 타고 내려가는 물은 평범한 물이 아니다. 초신성의 폭발보다도 더 높은 온도의 투명한 액체가 몸을 삽시간에 녹여버린다. 메두사의 지옥 같은 웃음소리가 날카로운 비명으로 바뀌더니 의식이 사라지는 시야에 울음 같은 소리의 긴 꼬리를 찌렁거리며 온 세상을 뒤덮고 있다. 손님 정신 차리세요. 어지러우신가요? 주문하신 키슈입니다. 다 드시면 저희가 상비하고 있는 영양제를 가져다 드리겠습니다. 어찌된 일일까? 섬광처럼 뇌리를 스치며 웨이트리스의 목소리가 살아있는 현실이라 인지가 되고 있다. 방금 홀연히 무엇이 연기처럼 사라졌는가? 칼날을 목에 있는 힘껏 꽂은 채로 다나에는 어디로 가버렸는가? 맞은편에 다소곳이 앉은 여자가 불안한 듯 측은한 눈빛을 드리우고 있다. 키슈는 제가 시킨 거예요. 잘라 두었으니 한 조각 드세요. 주방으로 들어갔다 나온 웨이트리스가 물 한잔을 테이블 위에 올려둔다. 아무 생각 없이 멍한 상태로 잠시 시간이 흐른다. 말없이 바라보고만 있던 여자가 상체를 앞으로 숙여 컵을 집어 들더니 물을 마시려 한다. 현기증이 여전히 남아 있어 머리가 약간 도는 상태였지만 너무 놀라서 눈이 번뜩 떠지며 여자를 향해 두 손을 휘젓는다. 마시면 안 됩니다. 멈춰, 멈춰요. 입대지 말고 멈춰요. 그 말에 여자는 잠시 멈칫 바라보는가 싶더니 이내 표정을 풀고 평온하게 물을 한 모금 마신다. 마신 후 숨을 적당히 내쉬더니 천천히 팔을 들어 다시 한 모금 더 마신다. 그리고는 한결 가라앉은 모습으로 물 컵을 테이블 위에 소리 안 나게 내려놓는다. 여자는 촉촉한 눈빛으로 말한다. 아까 갑자기 잠시 어지러워 하셨을 때요. 제 몸속에서 어떤 눅눅하게 무거운 기운이 앞쪽으로 쑥 빠져나가더니 마치 전깃줄을 타고 가는 것처럼 그쪽 얼굴로 들어가는 거 있죠. 꿈같기도 하고 환상 같기도 했지만 현실감이 너무 강했어요. 깜짝 놀라 심장이 쿵쿵 뛰는데 그쪽에서 잠을 막 깬 것처럼 눈을 뜨더니 여기가 어딘가 하는 얼굴로 두리번거리더군요. 저도 그전 기억이 잠시 안 나네요. 레스토랑에 들어와서 제가 잠시 졸았나요? 아주 짧은 것 같지만 확실하게 실체가 느껴지는 어떤 검은 방패 비슷한 장막이 잠시 전의 시간을 딱 가로막고 있는 것 같아요. 얼굴에 뭐가 붙어있는 그런 느낌은 혹시 안 드세요? 여자의 말을 들으며 손으로 얼굴을 쓱 문지르게 되었지만 뭔가 끈적거리게 달라붙어 있는 그런 불쾌한 느낌은 들지 않았다. 오히려 새벽 목욕을 마친 것처럼 맑고 가볍고 상쾌한 기분이 들었다. 머리에서 몇 가지 의심스러운 상황이 떠올랐다. 물을 던질까봐 그것이 지레 달려들었어? 갈증으로 마셔버린 물 탓에 되려 녹아버렸어? 그럼 다나에는? 여자는 조그만 창날 포크로 키슈를 먹기 시작한다. 측면 벽에는 아무것도 없다.

전깃줄에 매달린 가로등이 자몽껍질 색깔로 눈을 밝힌 오늘 밤의 신화는 실상 누구의 관심도 끌지 못한다. 레스토랑에서의 식사로 인해 잠시 프랑스의 어느 작은 마을로 날아갈 수 있었다. 덜 익숙한 향기로 옷에 흔적을 남긴 채 길을 걷는다. 언젠가 알고 지냈던 것 같은 여자가 어느 틈에 가까이 다가와 웃는다. 여자는 지난주에 혼자 유럽 여행을 다녀왔다. 여자는 거꾸로 흐물흐물 매달린 시계바늘 그림을 바라보며 시큼하게 조리되었던 방울토마토를 무심코 찍어 먹었다고 말한다. 접시에 닿을 때 튕기는 소리의 탄성이 우아하게 공간을 가로질러 세상 사람들의 행복이 경쾌하게 속삭이는 듯 했고, 가벼운 포크는 여자의 엄지와 검지 사이에 안락하게 얹혀 은빛으로 얌전했다고 한다. 때 마침 비가 내려 눈에 띄는 레스토랑에 들어간다. 건너편 벽에는 사진 한 장이 유리 액자에 담겨 걸려 있다. 정확히 어떤 사진인지 잘 보이지 않는다. 남녀 가수 듀엣의 로맨틱한 노래가 흘러나오는 레스토랑의 분위기가 마음의 빗장을 풀어놓는다. 여자는 처음 듣는 요리를 시켜 칼날 같은 포크로 찍어먹는다. 질척한 계란향이 달콤 시큼하게 풍긴다. 비 맞은 머리카락에 힘이 덜 들어가니 고개 숙인 여자가 한결 부드럽고 달콤해 보인다. 이따금 객기가 이성을 가리는 습관처럼 으깬 감자와 잘게 썬 브로콜리를 계란 반죽과 섞어 구워낸 이국적인 식사를 앞에 두면 저도 모르게 로맨틱해진다. 그리고 짧은 인생이 억울하다. 여자가 보았다던 그림처럼 시계바늘이 허물어진 상태 그대로 있으면 좋겠다. 모든 것이 그대로 멈추면 좋겠다. 여자가 고개를 들기라도 하면 어쩌나 하는 우려가 갑자기 든다. 눈을 마주치고 싶지 않다. 고개를 돌려 안주머니에 있던 선글라스를 꺼낸다. 우려를 하면 안 되는데 실수를 했다. 식탐이 열정처럼 꿈틀대는 밤에 안착한 그녀는 여지없이 변신을 꾀한다. 그녀의 머리에 꼬리를 박고 몸부림으로 요동치는 수십 마리의 뱀들이 보이기 시작한다. 서로 앞 다투어 입맛 도는 브로콜리를 번뜩이는 이빨 사이에 얹으려고 실랑이를 벌이고 있다.